# TITAN +

Collection dirigée par
Stéphanie Durand

## De la même auteure chez Québec Amérique

### Jeunesse

SÉRIE MARIE-LUNE

*Un hiver de tourmente*, coll. Titan+, 2012.
*Les grands sapins ne meurent pas*, coll. Titan+, 2012.
*Ils dansent dans la tempête*, coll. Titan+, 2012.
*Pour rallumer les étoiles – Partie 1*, coll. Titan+, 2009.
*Pour rallumer les étoiles – Partie 2*, coll. Titan+, 2009.

SÉRIE JACOB JOBIN

*La Grande Quête de Jacob Jobin, Tome 3 – La Pierre bleue*, coll. Tous Continents, 2010.
*La Grande Quête de Jacob Jobin, Tome 2 – Les Trois Vœux*, coll. Tous Continents, 2009.
*La Grande Quête de Jacob Jobin, Tome 1 – L'Élu*, coll. Tous Continents, 2008.

SÉRIE CHARLOTTE

*Une gouvernante épatante*, coll. Bilbo, 2010.
*La Fabuleuse Entraîneuse*, coll. Bilbo, 2007.
*L'Étonnante Concierge*, coll. Bilbo, 2005.
*Une drôle de ministre*, coll. Bilbo, 2001.
*Une bien curieuse factrice*, coll. Bilbo, 1999.
*La Mystérieuse Bibliothécaire*, coll. Bilbo, 1997.
*La Nouvelle Maîtresse*, coll. Bilbo, 1994.
*La Nouvelle Maîtresse*, Livre-Disque, 2007.

SÉRIE ALEXIS

*Macaroni en folie*, coll. Bilbo, 2009.
*Alexa Gougougaga*, coll. Bilbo, 2005.
*Léon Maigrichon*, coll. Bilbo, 2000.
*Roméo Lebeau*, coll. Bilbo, 1999.
*Toto la brute*, coll. Bilbo, 1998.
*Valentine Picotée*, coll. Bilbo, 1998.
*Marie la chipie*, coll. Bilbo, 1997.

*Ta voix dans la nuit*, coll. Titan, 2001.

SÉRIE MAÏNA

*Maïna, Tome II – Au pays de Natak*, coll. Titan+, 1997.
*Maïna, Tome I – L'Appel des loups*, coll. Titan+, 1997.

### Adulte

*Là où la mer commence*, coll. Tous Continents, 2011.
*Au bonheur de lire, Comment donner le goût de lire à son enfant de 0 à 8 ans*, coll. Dossiers et Documents, 2009.
*Pour rallumer les étoiles*, coll. Tous Continents, 2006.
*Le Pari*, coll. Tous Continents, 1999.
*Marie-Tempête*, coll. Tous Continents, 1997.
*Maïna*, coll. Tous Continents, 1997.
*La Bibliothèque des enfants, Des trésors pour les 0 à 9 ans*, coll. Explorations, 1995.
*Du Petit Poucet au Dernier des raisins*, coll. Explorations, 1994.

**Catalogage avant publication de Bibliothèque et Archives nationales du Québec et Bibliothèque et Archives Canada**

Demers, Dominique
Marie-Lune
Nouv. éd.
(Titan +; 34, 17, 22)
Publ. antérieurement sous les titres: Un hiver de tourmente. Montréal: La Courte échelle, c1992; Les grands sapins ne meurent pas. Montréal: Québec/Amérique, c1993; Ils dansent dans la tempête. Boucherville: Québec/Amérique jeunesse, c1994.
Sommaire: 1. Un hiver de tourmente -- 2. Les grands sapins ne meurent pas -- 3. Ils dansent dans la tempête.
Pour les jeunes.
ISBN 978-2-7644-2136-9 (v. 1)
ISBN 978-2-7644-2137-6 (v. 2)
ISBN 978-2-7644-2138-3 (v. 3)
I. Titre. II. Titre: Un hiver de tourmente. III. Titre: Les grands sapins ne meurent pas. IV. Titre: Ils dansent dans la tempête. V. Collection: Titan + jeunesse; 34, 17, 22.
PS8557.E468M37 2012 jC843'.54 C2011-942830-X
PS9557.E468M37 2012

Conseil des Arts du Canada
Canada Council for the Arts

SODEC Québec

Nous reconnaissons l'aide financière du gouvernement du Canada par l'entremise du Fonds du livre du Canada pour nos activités d'édition.

Gouvernement du Québec – Programme de crédit d'impôt pour l'édition de livres – Gestion SODEC.

Les Éditions Québec Amérique bénéficient du programme de subvention globale du Conseil des Arts du Canada. Elles tiennent également à remercier la SODEC pour son appui financier.

Québec Amérique
329, rue de la Commune Ouest, 3e étage
Montréal (Québec) H2Y 2E1
Téléphone: 514 499-3000, télécopieur: 514 499-3010

Dépôt légal: 2e trimestre 2012
Bibliothèque nationale du Québec
Bibliothèque nationale du Canada

Nouvelle édition dirigée par Geneviève Brière
Lecture de sûreté: Émilie Allaire
Mise en pages: Julie Dubuc
Conception graphique: Isabelle Lépine
En couverture: iStockphoto (© Okssi68)



Imprimé au Canada

DOMINIQUE DEMERS

# Les grands sapins ne meurent pas

Québec Amérique

*À mon père*

*J'aimerais remercier vivement le Dr Lucie Sarrazin-Vincelette, médecin de famille, Mme Michèle Boily, agente de service social à l'école Rosalie-Jetté, Isabelle Gélinas, étudiante à la même école, et Mme Christine Maraval, directrice du service d'adoption du Centre des services sociaux du Montréal métropolitain, pour leurs précieux conseils.*

*Merci aussi à Yolande, Josée, Diane et Karine.*

# Avant-propos

Marie-Lune a vécu un drame terrible dans *Un hiver de tourmente*: à l'âge de quinze ans, elle a perdu sa mère. Mais l'hiver n'est pas terminé... Marie-Lune nous revient donc dans *Les grands sapins ne meurent pas*, un roman de grands vents et d'orages.

# Chapitre 1

## Le ciel croule

Mon père ressemblait à Charlie Brown avec son sapin. Il disait l'avoir abattu, mais à mon avis, c'était de l'euthanasie: ce sapin-là n'aurait jamais passé l'hiver. Un petit bout d'arbre maigre et crochu aux branches chichement éparpillées et aux épines roussies.

Je n'en revenais pas. Pourquoi vivre dans le bois, au bout du monde, si à Noël on ne peut même pas se payer un vrai sapin de carte de souhaits? De beaux sapins, il y en a plein sur notre terrain. Et autant chez les voisins, partis à Montréal – les chanceux! – jusqu'à l'été prochain.

Léandre semblait fier de son arbre ridicule. Comme Charlie Brown dans un film de Noël. Charlie arrive avec un sapin tellement mal foutu que quand il le plante, celui-ci perd toutes ses épines. Tout le monde rit et Charlie est malheureux.

J'ai ri moi aussi. C'était trop bête. Léandre m'a regardée, l'air de revenir d'une lointaine planète. Il a contemplé son arbre. À croire qu'il le voyait pour la première fois ! Et il a éclaté en sanglots.

C'est là que j'ai compris tout à coup. Mon père l'avait probablement cherché longtemps son sapin malade. Son pauvre sapin tordu. Il voulait un arbre qui ressemblerait à son cœur. À ses souvenirs. À sa douleur. Un arbre ami. Aussi mal foutu que lui.

C'est notre premier Noël sans Fernande. Ma mère est morte le mois dernier. Les gens disent que je suis en deuil. C'est faux ! Je suis en désastre. La mort, c'est contagieux. Quand quelqu'un près de nous meurt, on se sent mourir avec lui.

Heureusement, j'ai Antoine. Quand je plonge dans ses bras, j'ai moins mal. Quand il me caresse le cou, je suis presque bien. Et quand il m'embrasse, j'oublie tout.

Avant-hier, j'ai eu un choc terrible. Comme si le ciel croulait et que la terre se lézardait. Je cherchais mon cahier de maths 434 dans ma case en désordre quand je suis tombée sur un étui de tampons hygiéniques. Je l'ai renvoyé dans le fond de la case en continuant de farfouiller et, soudain, j'ai cru que la fin du monde venait d'arriver.

« Je suis enceinte ! »

Heureusement que j'étais seule dans le corridor parce que j'avais crié. Je me suis vue, grosse comme une baleine. En dix secondes, je suis passée des Caraïbes au pôle Nord : une grosse bouffée de chaleur suivie d'un grand frisson.

Depuis trois ans, Marie-Lune Dumoulin-Marchand (c'est moi !) est réglée comme un cadran. Tous les vingt-huit jours, pouf ! Un bouton me pousse au coin du nez, j'ai deux douzaines de crampes au ventre et j'ai envie de tuer tout le monde. Je suis menstruée ! En trois ans, le calendrier ne s'est jamais trompé. Jusqu'à aujourd'hui.

J'ai attrapé mon agenda scolaire et j'ai couru jusqu'aux toilettes. Là, enfermée dans ma cabine, j'ai cherché le calendrier à la fin de l'agenda. J'encercle toujours en rouge la date du premier jour de mes dernières menstruations. Le 23 novembre ! C'était bien ce que je pensais. Je m'en souvenais parce que c'était aussi le jour de ma fête.

Un peu plus loin, un chiffre était souligné : le 21 décembre. La date du premier jour de mes prochaines menstruations. Hier ! J'ai recompté plusieurs fois jusqu'à vingt-huit en commençant à la case du 23 novembre. Rien à faire. Je tombais toujours sur le 21 décembre.

J'étais en retard dans mes menstruations pour la première fois de ma vie. Et pour la première fois de ma vie, j'avais fait l'amour aussi. Deux semaines avant. Environ. Après la mort de Fernande. Ce soir-là, j'étais un ouragan. Un vent furieux. J'avais couru jusque chez Antoine pour étouffer ma tempête dans ses bras. Effacer la douleur.

On avait fait l'amour comme on fait naufrage. Je ne me souviens même plus des gestes. J'étais perdue dans ma peine. Je sais seulement qu'à un moment, j'ai crié et tout s'est arrêté. Je braillais comme un veau qu'on vient de sevrer. Antoine m'a longuement consolée et Monique, la mère de mon amie Sylvie, est venue me chercher pour me ramener chez elle.

J'étais enceinte et Léandre allait me tuer. Depuis que j'ai dix ans, mon père passe son temps à me servir de longs discours sur les adolescents, ces gros méchants loups prêts à me croquer. Pauvre Léandre! S'il savait. Je n'ai pas été attaquée: c'était moi le loup.

J'ai pris mon manteau dans ma case et j'ai couru jusque chez Antoine. Il n'était pas à l'école aujourd'hui. Je priais pour qu'il soit chez lui.

La sonnette était brisée, alors j'ai cogné à la porte comme si je voulais la défoncer. J'ai attendu longtemps. Mon cœur battait comme un fou. Mais Antoine n'est pas venu.

Je l'ai trouvé dans le jardin. Le soleil incendiait ses cheveux dorés. Son grand corps s'étirait bien droit puis se cassait d'un coup lorsqu'il frappait une bûche à fendre. Il ne m'a pas entendue, mais il a dû sentir ma présence. Quand il m'a vue, son visage s'est illuminé. Il m'a embrassée de ses grands yeux verts. Pendant quelques secondes, j'ai tout oublié. Je me suis dit que le ciel pouvait bien crouler. Tant pis. J'aimais Antoine.

— Marie-Lune! Tu es blanche comme un drap. Qu'est-ce qui se passe?

Je l'ai fixé droit dans les yeux.

— Je suis enceinte.

Antoine m'a regardée comme si je venais de parler en allemand ou en langue éléphant. Comme s'il devait traduire chacun des mots dans sa tête. Il a mis cinq ou dix secondes à réagir peut-être. Puis il a éclaté de rire.

Je l'ai détesté. J'avais envie de le griffer, de le rouer de coups. J'étais furieuse, insultée, désemparée. Il est venu vers moi et il m'a soulevée de terre.

— Voyons donc, Marie-Lune ! Tu ne peux pas être enceinte. À moins que tu me trompes...

Il avait son sourire doux. Mon préféré. Ça m'a un peu calmée.

— Je devrais être menstruée et je ne le suis pas. J'ai toujours été parfaitement régulière. Jusqu'à... hier. Tu sais très bien comment je suis devenue enceinte !

— Marie-Lune, calme-toi. Souviens-toi de ce que M. Martin a expliqué au cours d'éducation sexuelle. Le cycle des filles, ça se dérègle à rien. « Il suffit d'un choc émotif... » C'est ce qu'il a dit. Ta mère est morte il y a trois semaines...

— Et on a fait l'amour il y a deux semaines !

J'étais à nouveau enragée. Comment pouvait-il ne pas s'affoler ?

— Je vais avoir un bébé. Comprends-tu ça ?

— Non. C'est impossible.

— Comment ça ?

— On n'a pas vraiment fait l'amour, Marie-Lune…

Antoine semblait triste et je me sentais perdue. Une vague de souvenirs m'a happée. Des bribes de tempête et d'orage. Qu'est-ce que je faisais avec Antoine au cœur de cette tourmente ? Je n'arrivais pas à déchirer les voiles de brume dans mes souvenirs.

Antoine attendait. Il espérait que je comprenne toute seule. Il n'avait pas envie d'aller plus loin, d'en dire plus. Mais je ne comprenais pas. J'ai agrippé son t-shirt mouillé et je l'ai secoué.

— J'ai peur, Antoine. Dis-moi tout…

Il a desserré l'étau de mes mains et il m'a repoussée doucement.

— Il y a deux semaines, tu es arrivée chez moi les joues rouges, le cœur battant. Je ne voulais pas faire l'amour avec toi. Je veux dire que je le voulais depuis des semaines. Même que ça me rendait fou. Mais ce n'était pas le temps ce soir-là. Tu étais comme… je ne sais pas… comme un animal blessé qui court de tous bords tous côtés au lieu de s'arrêter.

Antoine avait raison. Je me souvenais.

— Je ne voulais pas faire l'amour… mais tu m'as embrassé. Et après, sans dire un mot, tu as enlevé ton chemisier. Là, c'est moi qui ai perdu les pédales. On a presque fait l'amour…

Antoine était gêné. Moi aussi.

— Juste avant que… que j'éjacule… tu t'es mise à crier. Je me suis retiré immédiatement…

C'était presque trop facile. Trop simple pour y croire. Antoine a dû lire dans mes yeux.

— Il faut du sperme pour faire un bébé ! Je serais bien heureux d'en fabriquer un avec toi. Parce que je t'aime plus que tout au monde. Mais tu n'es pas enceinte, Marie-Lune. Je te jure.

Une montagne m'écrasait. Un poids terrible. Et Antoine me disait de le déposer. Je pouvais respirer normalement. Vivre normalement. La planète Terre se remettait à tourner. Je me suis blottie dans ses bras.

— C'est terrible, Antoine. Un bébé. Penses-y. Qu'est-ce qu'on aurait fait ?

— On se serait mariés et on lui aurait fait un petit frère.

Il était sérieux. J'en avais le souffle coupé.

— Antoine ! Tu es malade ! J'ai quinze ans. Je ne veux pas avoir un bébé. Je me ferais avorter.

Son regard s'est durci ; sa voix a changé.

— Des tas de femmes ont eu un bébé à quinze ans. Ce n'est pas la fin du monde. Si tu étais enceinte, je serais content. Même que je serais fou de joie. Je t'aime pour vrai. Pour toujours. Mais toi, tu m'aimes juste en attendant. Je ne suis pas assez bon, pas assez intellectuel, pas assez riche pour toi.

Je ne trouvais pas les mots pour répliquer. Le père d'Antoine travaille peu et boit beaucoup. Sa mère est morte dans un hôpital psychiatrique, il y a déjà longtemps. Antoine parle peu, mais parfois, lorsqu'il raconte ce qu'il vit, ce qu'il pense, ce qu'il veut, je le sens loin, très loin de moi. Est-ce qu'on peut s'aimer toute la vie même si on est nés sur différentes planètes ?

Mon amoureux avait mal, je voulais l'aider, mais son discours m'avait émiettée.

— Je t'aime, Antoine. Je t'aime tellement ! Mais je veux aller au cégep. Et à l'université. Je veux être journaliste… Tu le sais. Je veux faire des grands reportages en Afrique et en Amérique latine. Me vois-tu interviewer les descendants mayas avec un bébé dans les bras ?

— Et moi dans tout ça ?

— Toi ? Tu m'aimerais. Tu m'attendrais… Je partirais seulement quelques semaines à la fois. On s'arrangerait. Et puis, tu travaillerais toi aussi…

— Justement. Je veux laisser l'école. Ils cherchent un nouveau pompiste au garage Talbot, tout près de la polyvalente. Le patron veut bien me prendre. Ce n'est pas super payant, mais à temps perdu, les gars m'enseigneraient un peu de mécanique. Je pourrais apprendre sur le tas.

J'aurais dû m'en douter. Antoine déteste l'école depuis la maternelle ! Il pourrait sûrement avoir de bonnes notes, mais il n'étudie jamais. Il a doublé son secondaire I et je pense qu'il va couler son secondaire IV.

Si j'étais journaliste et Antoine, pompiste, est-ce qu'on s'aimerait quand même ? J'avais honte de me poser la question. J'avais peur qu'il lise dans mes pensées.

— Tu ne devrais pas lâcher l'école. Si tu veux être mécanicien, finis ton secondaire et apprends la mécanique.

— C'est facile à dire pour toi, Marie-Lune. Ton père paie tes études, tes vêtements, tes sorties. Pas le mien. J'ai hâte de recevoir un chèque toutes les semaines. Je suis écœuré de bayer aux corneilles sur un maudit banc d'école. Depuis deux mois, j'y vais seulement pour te voir. Sinon, j'aurais laissé avant.

J'étais à court d'arguments, vidée par tant d'émotions. On s'est quittés. J'ai couru pour ne pas rater mon autobus scolaire, le seul à destination du lac Supérieur.

Dans l'autobus, j'ai pensé à Fernande. J'ai imaginé ma mère, qui aurait hurlé à tout vent si elle avait appris que sa fille était enceinte. Aurait-elle respecté ma décision si j'avais choisi l'avortement ? Aurais-je trouvé les mots pour lui expliquer qu'un bonheur d'un mètre soixante, ça pèse plus lourd qu'un embryon de quelques millimètres de long ? C'est fou de changer sa vie, de mettre ses rêves à la poubelle, à quinze ans, parce qu'un ovule microscopique a eu le coup de foudre pour une goutte de sperme de la taille d'une larme de maringouin.

La neige s'est mise à tomber. J'ai respiré mieux. Le ciel déversait des tonnes de flocons énormes. La neige recouvrirait tout.

Je recommençais à zéro. Mon ventre était libre.

Demain, c'est Noël. Léandre et moi avons décidé de fêter comme si Fernande était là. On n'en a pas discuté clairement, mais on s'est distribué les tâches. Léandre a ramené le sapin et installé des lumières rouges, dehors, autour des fenêtres. J'ai trouvé un gros poulet dans le congélateur et je l'ai mis au four en oubliant de retirer les petites horreurs – cou, gésier, foie, etc. Tant pis. Ce soir, Antoine sera là. Grand-mère Flavi aussi.

L'arbre de Léandre est bien déguisé. J'ai mis tellement de guirlandes, de boules, de petits lutins et de lumières qu'on devine à peine le malade dessous.

Une bonne douzaine de boîtes enrubannées forment déjà une petite montagne sous l'arbre. Sur les étiquettes, on peut lire : Marie-Lune, Léandre, Flavi... Antoine aussi.

Fernande n'est pas là.

# Chapitre 2

## Le choix de trois

La salle d'attente de la clinique du Dr Larivière était bondée. Rien d'étonnant. À la fin du mois de février, tout le monde tousse et renifle. En arrivant ici, j'étais en parfaite santé, mais au bout de quelques minutes, je me sentais déjà contaminée. Une autre demi-heure d'attente et j'allais repartir avec une double broncho-pneumonie.

Léandre ne savait pas que j'avais rendez-vous avec le Dr Larivière. Il aurait pourtant été bien content. J'ai perdu quatre kilos depuis novembre et mon père s'inquiète de ma santé. Pas moi ! J'ai toujours rêvé d'être très mince, mais les régimes me rendent complètement marteau.

Depuis quelques semaines, c'est facile. J'ai peu d'appétit. Les rares jours où j'ai faim, mon estomac se révolte dix minutes après la dernière bouchée. Je préfère dormir. Entre un gigantesque sundae à l'érable et mon oreiller, pour la première fois de ma vie, je choisirais le paquet de plumes. Le sommeil est devenu un merveilleux refuge. Léandre dit qu'il n'y a que le temps pour guérir la peine.

Depuis le 1er janvier, Antoine est pompiste au garage Talbot à Saint-Jovite. Le jour de sa première paye, il était plus excité qu'un écureuil au printemps. C'était un vendredi. À la cafétéria de l'école, Mme Ouellette m'a refilé un petit billet en même temps que mon assiette. Antoine a déjà lavé la vaisselle à ses côtés et Mme Ouellette l'aime bien. Elle nous sert de facteur depuis qu'Antoine travaille au garage. Le billet disait :

*Fais-toi belle, Marie-Lune. Ce soir on sort en grand.*

*ton prince charmant*

C'était un soir de neige folle. Les flocons étaient énormes. On aurait dit des troupeaux de moutons tombant du ciel. Ils atterrissaient lentement sur nos manteaux et fondaient doucement, leur belle sculpture étoilée réduite à un minuscule miroir d'eau.

Nous avons mangé des lasagnes et bu du vin chez l'Italien. J'y étais déjà allée deux ou trois fois, le midi, avec Léandre et Fernande, pour célébrer la fête des Mères. Le soir, c'est différent. Les serveurs allument les bougies rouges sur les tables. C'est très romantique. Il n'y a pas de cris d'enfants, ni de gros rires gras. On dirait que seuls les amoureux ont droit au service.

Antoine portait son gilet neuf. Je le lui ai offert à Noël. La couleur est parfaite. Un mélange de verts, tendres comme l'herbe en mai et francs comme les feuillages d'un après-midi d'été. On aurait dit que la flamme de la bougie valsait dans le regard d'Antoine. Les paillettes dorées de ses grands yeux verts pétillaient, et ses lèvres brillaient dans la lumière.

Ce soir-là, Antoine m'a reconduite jusqu'au lac. Un copain du garage lui avait prêté sa voiture. Il était tard. Le ciel s'était calmé et des milliers d'étoiles avaient percé les nuages. Pour la première fois depuis la mort de maman, j'ai eu envie de faire l'amour avec Antoine. J'avais l'impression qu'on réussirait à s'aimer tout entier cette fois. Sans faire naufrage.

J'ai senti le corps d'Antoine trembler quand il m'a embrassée. Et je savais que ce n'était pas de froid. Il n'a rien dit, mais dans ses yeux, c'était écrit.

Le lendemain, j'ai décidé de prendre rendez-vous avec le D^r^ Larivière. La secrétaire m'a demandé si c'était urgent. J'avais un peu le fou rire. Une consultation pour des pilules contraceptives, est-ce urgent ? J'ai répondu non sans parler des pilules. Le mari de la secrétaire du D^r^ Larivière est maquettiste au journal *Le Clairon* où papa est journaliste…

— Marie-Lune Dumoulin-Marchand !

J'ai sursauté en entendant mon nom. Le D^r^ Larivière m'a accueillie d'un grand sourire. Il a une tête de grand-père, ce qui n'arrange pas les choses. Disons que j'aurais préféré une jeune femme médecin aujourd'hui. Pendant quelques secondes, j'ai pensé me défiler. Inventer un gentil mal de gorge et repartir avec une boîte de vitamines.

— Tu as perdu du poids, Marie-Lune! Il faudrait te remplumer, hein?

— Je ne viens pas pour ça… Je ne suis pas malade… J'ai perdu deux ou trois kilos… mais c'était voulu…

— Ah! les femmes! Que puis-je faire pour toi, Marie-Lune?

— Je voudrais… euh… des pilules.

— Des pilules ou la pilule?

Le Dr Larivière avait tout compris. Je me sentais comme une enfant de cinq ans qui aurait commis une grosse bêtise. J'avais l'impression qu'il me jugeait. Et me condamnait.

— C'est juste au cas où… Je n'en ai pas besoin pour l'instant. Mais j'ai un ami… Peut-être qu'un jour… On ne sait jamais…

— Tu as raison. Est-ce que ton père est au courant? Pour la pilule?

— Non. J'aimerais mieux pas.

— As-tu déjà eu une relation sexuelle?

— Pas vraiment… pas… complètement…

— Hum… Viens, je vais t'examiner. Ce ne sera pas long et ça ne fera pas mal. C'est de la routine.

Il a tripoté mon ventre en fronçant les sourcils. Ce qu'il a fait après était plus douloureux. Plus gênant aussi. Il a plongé ses doigts gantés entre mes jambes. Et plutôt creux… Ses yeux se sont plissés davantage et ses sourcils se sont encore rapprochés.

— Tu n'as pas besoin de contraceptifs. Il n'y a pas de chance que tu tombes enceinte.

Sa voix était dure. J'essayais de comprendre. Je sentais l'angoisse prête à m'étreindre.

— Tu ne peux pas tomber enceinte : tu es déjà enceinte.

J'ai su tout de suite que c'était vrai. La terre venait de m'engloutir. J'étais seule au fond d'un trou noir, étroit et creux comme un puits. Il n'y avait pas d'issue.

Je savais d'instinct que le Dr Larivière ne s'était pas trompé. Peut-être le savais-je depuis le début. Depuis l'instant où j'avais découvert l'étui de tampons dans ma case. Mais c'était tellement facile de ne pas y croire. Antoine avait été convaincant, et mon amie Sylvie m'avait assuré qu'un arrêt temporaire des menstruations après un choc émotif, c'était archi-courant.

J'avais arrêté de regarder le calendrier à la fin de mon agenda scolaire. Je n'avais pas compté les mois. Je me disais que ça viendrait. Je ne m'inquiétais même pas : un tiroir de mon cerveau avait été verrouillé. À triple tour.

Je n'avais pas encore dit un mot. J'avais l'impression que ce silence suspendait le temps. Une sorte de répit avant de plonger dans la catastrophe. J'ai eu un dernier soubresaut d'espoir.

— Mon ami dit que c'est impossible. Il… il n'a pas éjaculé.

Je regardais le Dr Larivière droit dans les yeux, avec un air de défi. Il a eu un petit sourire triste. Puis, doucement, patiemment, il m'a expliqué.

Il suffit d'une goutte de sperme, minuscule, microscopique même. Il suffit d'une gouttelette, vaillante et décidée, pour fabriquer un bébé.

— Ton ami pensait s'être retiré à temps, mais c'était déjà trop tard.

Le Dr Larivière m'a demandé de faire un effort pour bien me souvenir de la date de mes dernières menstruations et de celle du fameux soir. J'ai répondu sans hésiter.

— C'est bien ce que je pensais, Marie-Lune. Ta grossesse est très avancée. Treize semaines ! C'est dommage que tu ne sois pas venue avant… Il y a quand même trois scénarios possibles. Tu peux décider d'interrompre ta grossesse. C'est déjà un peu tard et ce sera un peu plus compliqué, mais je pourrais t'obtenir un rendez-vous dans une clinique à Montréal. On reparlera de tous les détails... Je veux seulement que tu réfléchisses. Si tu décides de poursuivre ta grossesse, tu pourras être la maman de ton bébé ou le confier à l'adoption. Tu auras plusieurs mois pour y penser. Mais si tu veux un avortement, il faut faire vite.

Trois possibilités ? Mon œil ! Elles sont toutes horribles. L'idée d'accoucher et de garder le bébé sonne un peu mieux, mais c'est ce que je désire le moins.

Je rêve d'un bébé depuis ma première poupée. Mais dans mon rêve, j'ai décidé d'avoir un enfant. J'ai hâte, je suis prête. Ça change tout, ça change tellement tout !

Je n'ai pas envie de devenir énorme. Je n'ai pas envie de voir mon corps se déformer. Je n'ai pas envie d'être une mère. Je n'ai pas envie de déménager chez Antoine. Pas tout de suite. Peut-être jamais. Je ne sais plus rien. Je voudrais que quelqu'un parle à cet intrus installé dans mon ventre. Le déloge, le chasse, l'expulse, l'envoie promener :

— T'as pas de billet et le train est déjà plein. Comprends-tu ? Il n'y a pas de place pour les passagers clandestins. Descends tout de suite. Saute ! Cours ! Va-t'en !

Je pleurais. Les larmes coulaient lentement en silence. Le train avançait. Je n'y pouvais rien.

— Marie-Lune, tu devrais parler à ton père. Il pourra t'aider à voir clair. J'aimerais aussi que tu rencontres un travailleur social. Reviens me voir demain. À n'importe quelle heure. Seule ou avec Léandre. Ou avec ton ami, si tu veux.

Je l'ai regardé. J'aurais voulu qu'il me dise quoi faire. Il avait retrouvé sa tête de bon grand-père.

— C'est toi qui dois décider, Marie-Lune. Laisse parler ton cœur. C'est le meilleur guide. Ne t'affole pas. C'est très important. C'est une grosse décision. Tu vas devoir vivre longtemps avec ton choix. Quel qu'il soit. Écoute ton cœur.

Je suis repartie sans dire un mot.

À la maison, Léandre était déjà rentré. Il préparait un pâté chinois. Ça sentait bon dans la maison.

— Marie-Lune ! Tu arrives tard... Qu'est-ce qui se passe ? Tu as l'air malade...

Il paniquait déjà en pensant que j'avais la grippe. S'il avait su ce qui l'attendait...

— Je suis enceinte.

J'aurais voulu qu'il dise des choses du genre : « Non... C'est impossible... Tu blagues... » La vérité aurait mis un peu de temps à s'installer. Mais Léandre m'a crue tout de suite. Son visage est devenu blême. Il continuait à brasser le bœuf haché en train de rissoler. On aurait dit un automate.

Il y a eu un long silence. Un silence immense. Et soudain, mon père a lancé la cuillère vers moi. Elle a ricoché sur le mur, à quelques centimètres de mon nez, avant d'atterrir à mes pieds.

— Va-t'en !

Il avait voulu crier, mais sa voix s'était brisée. Les mots s'étaient fracassés sur le mur. Je n'ai pas eu le temps de bouger. Encore moins de faire une valise. Léandre était déjà parti.

Il avait attrapé son manteau pendu à un crochet à côté de la porte de cuisine et il s'était sauvé dehors, sans bottes, ni gants, ni chapeau. Quelques minutes plus tard, le moteur de sa vieille Plymouth démarrait.

J'ai donné rendez-vous à Antoine au dépanneur du lac. Je n'avais pas envie que Léandre revienne et saute sur lui.

Au début, Antoine ne m'a pas crue. Je lui ai répété plusieurs fois ce que le Dr Larivière m'avait expliqué. J'ai su qu'il avait compris quand j'ai pu lire la peur dans ses yeux. J'avais envie d'être sarcastique et méchante.

De lui rappeler que quelques semaines auparavant, il promettait d'applaudir si j'étais enceinte. C'est toujours facile d'être romantique et courageux dans un rêve flou. Tout change quand on a les deux pieds vissés dans la réalité.

N'empêche. Je me souviendrai toujours de ses premiers mots.

— C'est correct, Marie-Lune. Je t'aime. On va l'aimer.

Il y avait autant d'amour que de tristesse dans ses yeux verts. Antoine ne sautait pas de joie, mais il était prêt à tout. Parce qu'il m'aime. Je me suis blottie dans ses bras. C'était mon seul refuge. J'ai laissé ses grandes mains courir dans mes cheveux, flatter tendrement ma nuque puis frotter vigoureusement mon corps gelé.

— Antoine... je ne veux pas être enceinte. Je ne veux pas avoir un bébé. Je pense que je devrais me faire avorter.

Il m'a repoussée. Ses yeux couraient, effrayés et inquiets.

— Tu ne peux pas, Marie-Lune. C'est à nous. On s'aime. Tu m'aimes, non ?

Il criait déjà. J'aurais voulu être brave et forte. Répondre : je t'aime. Puis jurer d'adorer notre enfant et de veiller sur lui jusqu'à la fin de mes jours. Mais je ne me sens pas comme une mère. Je veux une mère.

Je voudrais que Fernande me berce lentement, longtemps, dans ses bras chauds et parfumés. J'ai envie qu'elle me chante la berceuse de la poulette grise qui a pondu un œuf dans l'église. À la fin de la chanson, je dormirais cent ans. Comme la Belle au bois dormant.

— J'ai vingt-quatre heures pour décider. Je t'aime, Antoine. Mais j'ai quinze ans et le cœur en miettes. Un bébé, c'est compliqué. Ça a besoin de plein de choses. Et moi, je peux rien donner. Je me sens vide.

La tempête était revenue. Je n'y pouvais rien. J'ai laissé les sanglots me secouer.

— Regarde-moi, Antoine ! Je pleure tout le temps. Je suis bourrée d'orages. Comment veux-tu que je console un bébé ? Je vais le noyer dans mon océan de larmes. C'est peut-être mieux de le garder. Mais je ne suis pas capable.

Les grandes mains d'Antoine ont balayé mes larmes. Il semblait fort, tellement plus solide que moi. Je me suis laissée glisser dans son regard ; j'ai couru dans sa forêt verte. Et je me suis dit qu'il avait peut-être raison. Peut-être qu'ensemble, on pourrait y arriver.

J'ai fermé les yeux. Et j'ai vu Antoine et Marie-Lune enlacés dans un lit plus grand qu'un navire, vaste comme une île. Une petite boule chaude et terriblement vivante dormait, blottie entre leurs corps. C'était beau et bon.

— Je suis là, Marie-Lune. On est deux. Je vais t'aider. Je vais te serrer dans mes bras jusqu'à ce que toute ta peine s'en aille. Ensemble, on est capables. Je travaille déjà. Je vais mettre de l'argent de côté. On va le gâter, notre bébé. Et puis, il va grandir. Plus tard, tu pourras y aller au cégep. Et même à l'université.

C'était pire qu'une demande en mariage. Comme une demande de vie.

— Je vais être un super bon père, Marie-Lune. Notre bébé va avoir tout ce que je n'ai jamais eu.

Il m'a embrassée. Mais mon cœur n'a rien senti. Il courait à côté de moi.

En route vers la maison, je suis arrêtée chez mon amie Sylvie. Elle était sortie. Monique, sa mère, a promis de lui faire le message de me rappeler. Demain, je parlerai à Sylvie. Demain, je déciderai.

Écouter mon cœur ? Mais justement, j'ai peur de ce qu'il veut raconter.

## Chapitre 3

## Les mots du cœur

— Wow ! Super, Marie-Lune ! Est-ce que je peux être la marraine ? Même si je n'ai pas de chum ? Oh ! J'ai une idée... Ton père sera parrain et moi, marraine. Léandre et Sylvie... Ça sonne bien ensemble.

Sylvie était emballée. Elle babillait à pleine vitesse. Une vraie tête de linotte. Une pure sotte.

J'étais furieuse. Mes yeux lançaient des poignards. Mais au téléphone, ça ne donne pas grand-chose. Alors Sylvie continuait de dire tout haut ce qui flottait dans sa cervelle de moineau.

— C'est comme tu veux, mais moi, à ta place, je ne me marierais pas tout de suite. À cause de la bedaine. Tu vas vite devenir énorme. Et… c'est moins romantique. Si tu penses accoucher à la fin août, marie-toi à l'automne. Oh wow! La fin octobre! Avec les feuilles et tout. Ce serait tellement beau!

— Mange de la marde!

— Quoi?

— Mange de la marde!

— Qu'est-ce qui se passe?

— Tu peux vraiment être idiote, Sylvie Brisebois.

Mon amie s'est contentée de toussoter. Ça m'a donné le temps de reprendre mes esprits.

— Écoute bien. Il me reste quelques heures pour décider de ce que je fais de ma vie. Alors, arrête de te regarder le nombril avec ces histoires de marraine. Je ne sais pas quoi faire. Comprends-tu ça?

Elle a fait semblant de se calmer. Mais la vérité était criante : ma grossesse l'excitait. Pour Sylvie, tout est simple. Mon chum est beau comme un prince ; il m'adore; il a déjà un emploi et il meurt d'envie d'être le père de mon bébé. Qu'est-ce qu'une fille peut demander de plus?

Toute la nuit, je m'étais laissé torturer. D'un côté, l'envie folle de tout effacer. Redevenir libre. Tout de suite ! De l'autre, un désir immense et complètement maboule : inventer une famille. Fabriquer un nid. Avoir un petit oiseau, tout chaud, soudé à moi. Quand le soleil s'est montré le bout du nez, j'étais crevée et mon cœur épuisé ne disait plus rien.

Sylvie m'a proposé une session intensive de magasinage à Saint-Jérôme. La chanceuse a déjà son permis de conduire et l'auto de sa mère presque à volonté. D'après mon amie, dépenser est très thérapeutique. À son avis, on pourrait bannir les psychologues et les remplacer par des certificats-cadeaux.

J'ai dit oui. Le gazouillis de Sylvie m'empêcherait de penser. Au retour, elle me laisserait chez Antoine, et ensemble nous irions voir le D^r^ Larivière.

Sylvie est très systématique. Elle s'arrête seulement après avoir parcouru chaque mètre carré de tous les magasins. Notre itinéraire a débuté dans un rayon de vêtements pour hommes. Sylvie était en quête d'une chemise en denim pour son prochain chum, dont l'identité nous est encore inconnue.

— C'est ridicule, Sylvie ! Attends de savoir s'il sera grand ou gros !

Rien à faire. Sylvie vogue bien au-dessus de ces vulgaires considérations pratiques.

Au bout d'une heure, elle m'a entraînée dans une boutique de vêtements pour enfants. À peine entrée, elle a foncé sur les étalages pour nouveau-nés. J'avais le cœur en guimauve devant les pyjamas miniatures. Les bébés, c'est minuscule. À peine plus gros qu'un moineau. J'avais envie de bercer un pyjama dans mes bras.

Sylvie était d'accord avec moi. Le plus joli était brodé de lapins rose bonbon sur un velours bleu nuit. Il coûtait une fortune. Mais il était tellement mignon avec son petit pompon-queue-de-lapin à la hauteur des fesses… qu'on l'a acheté. C'était idiot, mais tant pis.

Après, je me suis mise à sortir le pyjama du sac toutes les deux minutes. J'essayais d'imaginer un bébé. Je caressais le tissu comme s'il y avait un petit ventre mou et rond sous les lapins brodés.

Sylvie a dû essayer vingt mille jeans. Devant les grands miroirs, j'ai eu un choc. Entre les os de mon bassin, il y avait bel et bien un renflement. Je ne l'avais jamais remarqué avant. À croire qu'il venait tout juste de pousser. Qu'il se forçait pour prendre de la place.

Il nous restait encore une bonne dizaine de boutiques à explorer quand j'ai senti la fatigue m'envahir. D'un coup. J'étais lessivée et mes jambes étaient en béton. On s'est arrêtées pour boire un Coke, mais j'aurais donné la lune pour être dans mon lit.

Tous les magasineurs s'étaient donné le mot pour prendre leur Coke en même temps. Il a fallu patienter un siècle avant qu'une serveuse vienne. Un enfant s'est mis à hurler.

C'était un petit garçon de trois ans environ. Sa mère semblait assez jeune. Vingt ans peut-être. Elle avait sûrement été jolie déjà, mais ses cheveux bruns défaits pendouillaient tristement sur ses épaules et son teint cireux trahissait sa fatigue. Nos regards se sont croisés. Ses yeux hurlaient de détresse. J'ai senti quelque chose se rompre en moi.

Elle caressait machinalement la tête de son fils impatient. Il avait sans doute soif, tout simplement. À côté d'elle, un enfant plus petit reniflait bruyamment. Il a épongé un peu de morve avec sa manche d'habit de neige. Le vêtement était sale et déchiré à plus d'un endroit.

La dame tripotait tour à tour l'un et l'autre, toujours de la même main. Des miettes de caresse pour les faire patienter. Elle balayait la pièce de son regard aux abois, en quête d'une serveuse. Ou d'un messie. En même temps, la jeune mère berçait son corps d'un mouvement régulier, de l'avant à l'arrière. Un petit paquet reposait au creux de son bras gauche.

C'était un bébé!

Je me suis levée d'un bond en attrapant Sylvie par le bras. La serveuse nous appelait, mais j'ai foncé vers la sortie.

Dehors, dans le silence enneigé, j'ai éclaté. Une vraie tempête de larmes.

Sylvie a su se taire. Attendre patiemment que mon ciel soit à sec.

— Qu'est-ce que tu veux, Marie-Lune? Dis-le-moi. Je vais t'aider.

J'ai parlé à petits coups. Le souffle encore brisé par des sanglots.

— Je veux m'en débarrasser, Sylvie... Je ne me vois pas avec un bébé... J'ai peur... Aide-moi, je t'en supplie! Je veux qu'il disparaisse. C'est moche mais c'est comme ça... Antoine a envie d'un bébé. Toi aussi. Mais pas moi... Une poupée, peut-être. Mais pas un vrai bébé.

Les mots ne sortaient pas assez vite. J'étouffais.

— Je ne veux pas l'annoncer au Dr Larivière. Je ne veux pas en discuter avec Antoine non plus. J'ai honte, comprends-tu ? Mais je veux m'en débarrasser.

Deux minutes plus tard, on roulait vers Montréal. L'année précédente, la sœur de Sylvie s'était fait avorter dans une clinique privée. En route, Sylvie a consulté un annuaire téléphonique dans une station-service. Puis elle a étudié une carte de Montréal.

Le soleil descendait. À quelle heure les cliniques d'avortement ferment-elles ? Sylvie roulait à toute vitesse en doublant presque toutes les voitures.

La clinique ressemble à une maison. J'étais persuadée qu'on s'était trompées d'adresse, mais une infirmière nous a accueillies avec un large sourire.

— Laquelle de vous deux a rendez-vous ?

Sylvie s'est mise à parler très vite. Ses propos étaient un peu incohérents, mais l'infirmière a fini par comprendre que j'avais quinze ans, que je voulais un avortement et que c'était urgent.

Elle s'est éclipsée pour revenir avec deux tasses de thé et des biscuits. Elle nous a installées dans un grand fauteuil et elle m'a promis que le Dr Marion me verrait bientôt.

Sylvie a pris ma main. Je l'ai embrassée tendrement sur la joue en tentant de sourire bravement.

Le Dr Marion m'a reçue dans un vaste bureau bien éclairé. Il voulait des dates. Comme le Dr Larivière. Je lui ai montré les chiffres encerclés sur le calendrier de mon agenda.

Il a froncé les sourcils. Comme le Dr Larivière.

— As-tu un endroit pour dormir cette nuit ? Il faudrait que j'installe des tiges laminaires… Ne t'inquiète pas, ça ne fait pas mal. Ce sont des algues. Ça fait dilater le col de l'utérus. Demain, on pourra pratiquer l'intervention.

J'ai senti l'angoisse monter.

Non. Je n'avais pas de place pour dormir. Et même si j'en avais… Il faudrait que j'avertisse mon père. Qu'est-ce que je dirais ? Je ne l'avais pas vu depuis la veille. Il m'avait laissé sur la table de cuisine une note annonçant qu'il serait au journal toute la matinée. Un samedi ! Il avait ajouté en post-scriptum : *Nous parlerons cet après-midi.*

J'ai réuni un peu de courage.

— Les tiges... est-ce que c'est... vraiment nécessaire ?

— Le problème, c'est qu'à treize semaines, ta grossesse est déjà avancée. Normalement, l'intervention est simple et...

Le D^r^ Marion parlait, parlait, mais je ne l'entendais presque plus. Le tonnerre grondait tout autour. Des poignées de mots perçaient le tumulte de temps en temps, mais on aurait dit que le médecin parlait à une autre. J'étais spectatrice. Tout cela se passait dans un film. Au début, on croyait que c'était l'histoire d'un avortement ordinaire. Mais le scénariste s'était amusé à tout compliquer. Au fond de l'utérus, la chose avait grossie. Trop pour être simplement aspirée. Il fallait « dilater le col ». Et quoi encore ? « Écraser la masse ? »

Plus rien ne bougeait sur l'écran. Les personnages étaient figés. Le médecin semblait attendre. La fille semblait perdue.

Parfois, au lac, la pluie s'abat d'un coup, avec une force terrible. Il n'y a pas de tonnerre, ni d'éclairs. Juste une pluie démente. Un ciel devenu fou. Je pleurais à verse.

Je savais que quelques secondes plus tard, l'actrice allait se lever et partir. Je savais aussi qu'elle se sentait prisonnière.

De son ventre. Et je pleurais parce que la vie est salope. Il aurait suffi que la scène se déroule une ou deux semaines plus tôt pour changer le scénario. Personne n'aurait parlé de tiges et de masse à écraser.

Je suis partie sans savoir si j'étais brave ou lâche.

Sylvie a été parfaite. Elle n'a pas demandé d'explications. Nous avons roulé pendant deux heures. Sans dire un mot.

À la maison, un nouveau billet traînait sur la table de cuisine:

*Avez-vous dévalisé toutes les boutiques? Je suis chez l'Italien avec Monique. Venez nous rejoindre si vous rentrez avant 19 heures.*

*Je t'aime, Marie-Lune,*
*Léandre*

J'ai griffonné quelques mots au dos du message:

*Je passe la nuit chez Sylvie.*
*Je t'aime moi aussi.*

Pendant la nuit, j'ai fait un rêve. J'étais l'amie de ma mère et je tenais sa main pendant qu'elle accouchait. Nous étions seules à la maison. Fernande était allongée sur le divan-lit du salon. Par la fenêtre, derrière elle, je voyais le lac immobile. Ma mère était très calme. Elle ne gémissait même pas. À peine poussait-elle parfois de minuscules cris d'oiseau. Alors je caressais doucement son front.

Soudain, le vent s'est levé. Au bord du lac, les grands sapins se sont mis à fouetter l'air autour d'eux. On aurait dit des géants furieux. Le ciel a grondé et la forêt a tremblé. Puis le sol s'est lézardé. D'immenses fissures ont crevassé la neige.

Fernande a hurlé d'effroi. Un bébé gisait entre ses jambes.

Il ne criait pas, ne pleurait pas.

Il était bleu.

J'ai crié moi aussi. MAAAMAAAN.

Plus fort que les oiseaux sauvages.

Mais elle avait disparu.

# Chapitre 4

## Bien accroché

La ferme d'équitation de M. Lachapelle est à vingt minutes à pied de chez nous. Tout près de chez Sylvie. L'été, Louis Lachapelle loue ses chevaux vingt dollars l'heure aux touristes et il grogne tout le long du parcours lorsqu'il leur sert de guide. Louis Lachapelle adore ses grosses bêtes, mais les touristes l'embêtent. Il rêve du jour où il pourra nourrir ses chevaux sans devoir les louer. La plupart du temps, c'est Jean, son fils, qui promène chevaux et touristes sur les pistes.

À ses « amis du lac », Louis Lachapelle prête pourtant ses bêtes de bon gré, en refusant d'être payé. J'en profite souvent, l'été, depuis cinq ou six ans. M. Lachapelle me laisse sortir Caramel sans escorte. Il aimerait bien que je la monte aussi l'hiver, sur le chemin du rang, mais je suis un peu frileuse.

J'espérais qu'il soit dans la grange. Je n'osais pas frapper à la maison. Un dimanche à neuf heures ! À mon départ, il y a quelques minutes, Sylvie ronflait.

—Tiens, tiens, tiens... De la grande visite ! Qu'est-ce qui t'amène de bonne heure de même le matin ?

— Rien de spécial... Je passais devant chez vous... J'ai dormi chez Sylvie. Je me disais aussi que Caramel avait peut-être envie de se dégourdir.

— Là, tu parles ! Ben sûr. C'te grande jument a plus de diable dans le corps qu'un étalon. Viens, je vais t'aider à la préparer.

J'avais volé quelques cubes de sucre à Monique avant de partir. Caramel les a happés d'un coup de langue en me fourrant ses naseaux froids et humides dans le cou en guise de remerciements.

J'ai promis d'être prudente, de rester sur le chemin du rang et de ne pas la laisser galoper. Le soleil se décidait enfin à nous réchauffer. L'air était sec et bon. Deux geais bleus ont détalé en me frôlant presque le bout du nez.

Caramel a toujours eu un bon trot, régulier et confortable. Elle est affectueuse et pleine d'énergie. Il faut tenir fermement la bride, car elle est toujours prête à courir. L'été, je la laisse s'épivarder. Mais sur la route enneigée, c'est trop dangereux.

Nous avons trotté gentiment pendant un bon moment. J'avais follement envie de la laisser galoper. La vitesse grise, elle donne l'impression de voler. Et j'avais besoin de quitter le sol. De planer comme les geais.

Sans trop y penser, j'ai émis deux ou trois claquements de langue. D'un coup de tête, la jument a tiré sur les rênes. Et elle s'est élancée.

Était-ce la peur ? La suprise ? Je n'arrivais pas à m'accorder à son rythme. À chaque pas, mon corps s'écrasait brutalement sur le dos de la jument. C'était douloureux.

J'ai ramené brusquement les rênes vers moi. Au même moment, j'ai entendu une voiture approcher. Nous galopions au beau milieu de la route. J'ai donné un coup de bride de côté pour que nous quittions le centre de la chaussée.

Un des sabots a glissé alors que le cheval tentait de freiner et de pivoter en même temps. En deux secondes, Caramel a repris pied, mais j'étais déjà étendue sur la chaussée.

La voiture a freiné. Des bottes ont martelé la croûte glacée. Jean est apparu. Il m'a soulevée sans effort, comme si je pesais moins qu'un flocon. Ma tête frottait dans son cou. Je me suis détachée un peu, péniblement, et j'ai vu du sang.

Jean n'a rien dit. Il m'a étendue sur la banquette arrière et m'a ramenée à la ferme de son père. Louis a téléphoné à Léandre. Il a dû le réveiller, car il y a eu un long silence avant que M. Lachapelle se mette à parler. J'entendais des bribes de conversation : rien de cassé... crâne fendu... points de suture... urgence... La voix de M. Lachapelle était parfaitement calme. Soudain, le ton a monté.

— Quoi ? Enceinte ? Pauvre Léandre ! J'ai ben peur qu'elle ne le soit plus. Il faut se grouiller. Je pars tout de suite. Rejoins-nous à l'hôpital.

Je me suis mise à pleurer. J'avais honte. À cause du bébé. Mon histoire ressemblait drôlement à un avortement déguisé.

Pourtant, je ne me souvenais pas d'y avoir songé.

J'ai regardé Jean. C'est un grand gaillard timide qui est en secondaire V. Des tas de filles le trouvent beau, mais on ne lui connaît pas d'amie. Sylvie croit qu'il préfère les garçons.

Il a soutenu mon regard. Le sien est vaste et sombre, comme le lac à l'automne lorsque les montagnes noires s'y mirent. Ses yeux sont d'un brun si profond que les pupilles se noient dans l'iris.

— Tiens bon, Marie-Lune. Ça va aller. Je te le jure.

Il y avait tellement d'assurance dans sa voix que j'y ai cru, sans même savoir ce qu'il entendait par ces quelques mots. Deux secondes plus tard, j'étais de nouveau dans ses bras. Il m'a encore étendue sur la banquette arrière, avec une épaisse couverture cette fois, et il s'est installé derrière le volant, son père à ses côtés.

À l'hôpital, une civière m'attendait. On m'a allongée sur un lit dans la salle de radiologie et quelqu'un a badigeonné une gelée froide et visqueuse sur mon ventre. J'ai frissonné.

La radiologiste a allumé un minuscule écran de télévision à côté de moi. L'image était brouillée. Elle a plaqué sur mon ventre un genre de moniteur de la taille d'un poing et s'est mise à racler la gelée translucide en promenant l'appareil sur ma peau.

Ils étaient trois maintenant, radiologiste, infirmière et médecin, à scruter l'écran.

— Il bouge ! Il est vivant !

Il y avait du triomphe dans la voix. Au même moment, mon père est arrivé en coup de vent.

C'est idiot. Ils ne m'avaient rien expliqué. C'était pourtant mon corps. Et voilà qu'ils discutaient maintenant à voix basse avec Léandre. Des marteaux piochaient dans ma tête. J'étais trop faible pour me relever, mais je voulais qu'on m'explique.

Des larmes roulaient de nouveau sur mes joues. Léandre s'est approché pour les écraser du bout des doigts. Il m'a embrassée tendrement.

— Ton bébé est vivant, Marie-Lune. C'est presque un miracle après ta chute.

Il avait dit « ton » bébé. Et ça semblait presque logique. Une infirmière s'est approchée de moi. J'ai pu lire son nom épinglé à la pochette de son uniforme. Marielle Ledoux ! Elle était là, quelques mois plus tôt, après mon accident en montagne.

— Rebonjour, Marie-Lune ! Tu es chanceuse, ma belle. C'est rare un bébé aussi bien accroché. Celui-là, il n'y a rien pour le déloger.

Ses paroles se sont incrustées lentement en moi.

— Le vois-tu à l'écran ?

— Non…

— Regarde.

Du doigt, elle a pointé une masse informe au centre de laquelle une tache un peu plus sombre, à peine plus grosse qu'un pépin, s'agitait furieusement.

— C'est son cœur ! La colonne vertébrale est ici, la tête, là. Pour un œil peu averti, c'est plus difficile de distinguer les bras et les jambes. Aimerais-tu entendre battre son cœur ?

J'ai fait oui de la tête. Le stéthoscope était à peine installé que j'ai entendu un vacarme terrible. Je m'attendais à un faible battement, timide, à peine perceptible, mais ce cœur-là cognait comme s'il voulait tout défoncer.

J'ai crié.

— Écoutez ! Vite ! Faites quelque chose. Il est malade… Ce n'est pas normal. Vite !

Je regardais l'écran. J'avais peur qu'il éclate. Qu'il se brise. Qu'il meure.

— Calme-toi, Marie-Lune. Tout va parfaitement bien. Le son est amplifié, c'est donc normal que ce soit bruyant. Et ça court toujours vite, un cœur de bébé.

Garde Marielle avait un bon sourire rassurant. J'ai fermé les yeux pour arrêter le temps, quelques secondes. Puis j'ai cherché le stéthoscope. Dans mon affolement, il avait glissé sur le matelas. Je l'ai repris. Je voulais réentendre.

Son cœur battait encore comme un dingue. Potoc… potoc… potoc… potoc… C'est toi ça ? T'es qui, toi ? Le moustique qui tient tant à la vie ?

Il répondait juste potoc… potoc… potoc… potoc… Il s'occupait d'être vivant.

C'est tout. Alors j'ai décidé de l'aider.

Écoute, le moustique. Je ne sais pas ce que je ferai de toi après, mais tu vas vivre. C'est promis. Je vais t'aider. À compter d'aujourd'hui, on est deux.

# Chapitre 5

## Une amie pour mon amie

Léandre disait toujours que c'est grâce aux fées. Deux ou trois fois par année, la forêt devient magique. Les arbres se transforment en sculptures de glace et les hautes herbes folles jaunies se givrent et scintillent comme si elles étaient étoilées de millions de minuscules diamants. Le lac nous brûle les yeux tant il brille au soleil.

C'est arrivé pendant la nuit. Léandre a ri lorsque j'ai dit qu'une fée était passée. Nous avons déjeuné en silence mais en paix. Après, on a parlé.

Léandre m'a demandé pardon pour les mots durs qu'il m'avait lancés en apprenant que j'étais enceinte.

— Je me sens coupable, tu sais. Depuis la mort de Fernande, je m'enferme dans ma peine en oubliant la tienne. Si je m'étais mieux occupé de toi, tu ne te serais pas jeté dans les bras du premier gars.

— Papa ! Tu oublies que je l'aime. Et qu'il m'aime. Il veut qu'on se marie...

Léandre a sursauté. Il n'avait même pas envisagé cette possibilité.

— Ne fais pas ça, Marie-Lune. C'est un bon gars, mais ce n'est pas un gars pour toi. Vous êtes trop... différents. Attends. Si tu l'aimes encore dans trois ou quatre ans, je ne dirai plus rien.

— Papa, je veux rendre mon bébé à terme, mais c'est tout ce que je sais pour l'instant.

— Hier, j'ai parlé au Dr Larivière. Il a raison, Marie-Lune : tu devrais rencontrer un travailleur social. Quelqu'un qui pourrait t'expliquer en détail les différentes avenues et les ressources disponibles. On pourrait le voir ensemble... Et puis... j'ai pensé... Ici, au lac, on est isolés. Si tu veux, on pourrait déménager à Saint-Jovite. On serait plus près de tout. Des garderies, par exemple… Mais si tu préfères confier le bébé à l'adoption, c'est correct… Il paraît que tu pourrais choisir toi-même les parents adoptifs…

J'avais beau sonder son visage, je n'arrivais pas à deviner ce que Léandre préférait. J'aurais aimé qu'il me le dise. Clairement.

— Le D^r^ Larivière croit que c'est à toi de décider. Il dit d'écouter ton cœur.

Encore ! Il va falloir que j'explique au D^r^ Larivière qu'il est devenu sourd et muet, mon cœur. Il a trop hurlé au cours des derniers mois.

— Je respecterai ta décision, Marie-Lune. Et quelle qu'elle soit, je vais t'aider. De toutes mes forces. Si tu veux le garder, ton bébé, je vais l'aimer. C'est sûr. Je pourrais lui faire une belle chambre et coller du papier peint avec des oursons. Comme avant ta naissance. Qu'en dis-tu ?

Je me disais qu'il avait drôlement l'air de vouloir être grand-père…

Léandre m'a déposée devant l'école. J'aurais pu prendre congé, mais je n'avais pas envie de rester seule toute la journée à contempler le lac gelé. Mes six points de suture sont bien dissimulés par ma coiffure et je porte un chandail ample par-dessus mon jean. J'ai encore vomi ce matin. Je me demande où il prend ses calories pour grossir, ce bébé-là.

J'ai marché lentement jusqu'à la cour arrière. Les routes étant glacées, plusieurs autobus scolaires n'étaient pas encore arrivés.

J'ai eu un choc en l'apercevant sous notre arbre.

Antoine. Il m'attendait sous le tilleul. Il était là comme tous ces matins de novembre où nous nous sommes aimés sans bruit, sans gestes, en espérant que la cloche du début des classes ne sonne jamais.

L'arbre paraissait fragile sous le verglas et Antoine semblait perdu. Je me suis approchée lentement. Ses yeux étaient voilés d'eau. J'ai couru jusqu'à lui.

Il était venu au lac hier. Il m'avait cherchée. Il avait abouti chez Sylvie, où on lui avait raconté mon accident. Les nouvelles voyagent vite sur le chemin du Tour du lac. Sylvie n'avait pas mentionné notre visite à la clinique d'avortement. J'ai compris que cet épisode resterait toujours un secret, entre elle et moi.

Antoine était blessé. Il m'en voulait d'avoir risqué la vie de cette petite chose qu'il appelait « notre bébé ». J'aurais voulu qu'on ne dise rien. Qu'on oublie tout. Qu'il m'embrasse comme avant.

— Embrasse-moi, Antoine... S'il te plaît.

Le soleil s'est levé dans la forêt de ses yeux. Il m'a enlacée et il m'a embrassée. Nos corps étaient chauds sous les épais manteaux. J'avais envie de lui autant qu'avant.

— Je t'aime, Antoine.

C'était vrai. Même si quelque chose avait changé.

— Moi aussi, Marie-Lune. Je t'adore. Et j'ai peur de te perdre. Je n'ai pas dormi de la nuit. Ça fait au moins une heure que je t'attends ici. J'ai l'impression que tu me files entre les doigts.

Ça aussi, c'était vrai. Mais je n'y pouvais rien. Nous étions deux continents dérivant lentement. On ne peut pas freiner les continents. La petite boule de vie en moi avait ébranlé bien des choses en s'implantant. Antoine était encore plus triste lorsqu'il m'a quittée pour aller travailler.

Je sortais du cours de chimie. Je marchais vers la classe de Colombe, mon prof de français, en lisant les chiffres sur les plaques métalliques rivées aux cases. Devant le numéro 1018, j'ai vu Jean.

Il m'a souri, très discrètement. Je ne l'avais pas revu depuis hier. Louis et lui m'avaient abandonnée à la porte de la salle de radiologie.

Il a hésité. Une seconde tout au plus. Puis il a continué. Je savais qu'il ne dirait rien. Comme Sylvie. Un jour, bientôt, tous les élèves de l'école sauront que je suis enceinte. Mais en attendant, Jean ne dira rien.

Après l'école, je suis descendue de l'autobus chez Sylvie. Il faisait beau et je voulais marcher jusqu'à la maison. Je n'avais pas prévu m'arrêter, mais lorsque je suis passée devant la ferme Lachapelle, Arthémise a bondi sur moi. Elle est tellement lourde que j'ai failli tomber sur le dos. C'était bon de la revoir. Elle ne s'était pas montré le bout du museau depuis des semaines.

Arthémise est une énorme chienne noire avec de bonnes grosses pattes. Un pur labrador aux grands yeux doux ! Je l'adore. Non contente de m'avoir presque renversée, elle s'est mise à me lécher le visage de sa langue baveuse.

— Ouache ! Tu as mauvaise haleine, Arthémise. Tu pues ! Calme-toi donc.

Je me suis penchée pour lui frotter les oreilles et tapoter ses flancs. Elle gémissait de plaisir.

— Vieille folle, va!

J'allais repartir quand j'ai aperçu la lourde silhouette de M. Lachapelle. J'ai marché vers lui. Je voulais m'excuser… pour Caramel. Et m'assurer qu'elle allait bien. Il allait se réchauffer devant un café et il m'a entraînée gentiment avec lui.

M^me^ Lachapelle est immense. Elle a eu quatre garçons. Ils sont tous réservés, très travaillants et… beaux. Jean est le cadet. Le seul encore à la maison. Louise Lachapelle m'a servi une tasse de chocolat au lait sucré et brûlant avant de s'écraser sur une chaise.

J'étais bien avec eux. M^me^ Lachapelle m'a fait promettre de m'adresser à elle si jamais j'avais besoin d'aide. Elle n'a pas parlé de grossesse ni de bébé, mais c'est bien à ça qu'elle pensait. Louis m'a rassurée pour Caramel. Un voisin l'avait ramenée à bon port pendant que nous faisions route vers l'hôpital.

J'ai bu mon chocolat jusqu'à la dernière goutte. C'était délicieux.

— Je t'en promets un chaque fois que tu reviendras, Marie-Lune. Arrête plus souvent. Un beau visage de fille, ça fait du bien à regarder. C'est fatigant d'être toujours entourée d'hommes, tu sais.

M. Lachapelle a grogné pour la forme, comme s'il était insulté, mais ses yeux riaient. En sortant, je me suis retrouvée nez à nez avec Jean. Il a rougi. Heureusement, Arthémise s'est mise à aboyer en courant vers nous. J'étais contente de la diversion.

— Veux-tu voir ses chiots ?

C'était donc ça ! Voilà qui expliquait les semaines d'absence.

Jean m'a guidée vers une remise derrière la grange. Lorsque nous avons poussé la lourde porte, une marée noire a coulé vers nous. À six semaines, les chiots venaient tout juste d'être sevrés. Ils étaient tous mignons, mais l'un d'eux l'était encore plus. Sa queue frétillait à toute allure. Un vrai dingue. Il s'est dandiné jusqu'à moi et il s'est emparé d'un de mes doigts pour le téter.

J'avais oublié Jean. Je l'ai entendu rire et j'ai ri, moi aussi. C'était à la fois ridicule et émouvant de voir le chiot s'entêter à sucer mon doigt.

— J'ai des fourmis dans les jambes. Ça t'embêterait si je marchais un peu avec toi ?

On est voisins depuis dix ans, mais il ne m'avait jamais raccompagnée chez moi. Arthémise a trotté sagement avec nous et Jean m'a quittée au début du sentier menant au lac. Nous avions parlé sans arrêt. J'ai appris qu'il veut devenir vétérinaire. Louis doit être content! Jean dit qu'il ne pourrait jamais vivre à Montréal.

— Mon pays, c'est le lac. Avec ses montagnes et ses falaises. J'étoufferais dans une ville. Et je gage que toi aussi, Marie-Lune. Il suffirait que tu passes un mois de juillet à Montréal pour comprendre. Tu reviendrais au lac en courant. Garanti.

Jean est un peu timide mais terriblement sûr de lui. On a envie de croire ce qu'il dit.

Léandre était rentré. En l'apercevant, j'ai eu une idée. Je lui ai expliqué et il a accepté. Quinze minutes plus tard, sa vieille Plymouth s'arrêtait devant la grille du cimetière.

— Vas-y. Je t'attends.

Le soleil était déjà très bas. Il faisait plus froid. Personne n'avait visité les morts aujourd'hui. La neige était intacte.

J'ai mis dix minutes avant de trouver la bonne pierre. Un bouton de rose jaune perçait la neige. Quelqu'un avait déposé un bouquet quelques jours plus tôt. Léandre peut-être…

C'était la première fois que je venais depuis l'horrible enterrement. J'aurais tant voulu que Fernande puisse dormir ailleurs. Bien loin de ce morne champ de pierres.

Mais elle était là. Je n'y pouvais plus rien.

Je ne voulais pas penser à son corps. Depuis que j'ai trois ans, on veut me faire croire que les âmes flottent après la mort. Qu'elles quittent dignement le vulgaire plancher des vaches pour planer bienheureusement dans l'au-delà.

Je n'en crois pas un mot. Et c'est dommage, car ce serait commode. Ce serait tellement plus facile si je croyais en Dieu et au ciel. Je pourrais parler à Fernande. Je saurais qu'elle est là, quelque part, vivante.

J'étais venue lui parler, mais je n'y arrivais pas. Ma meilleure amie m'a quittée. D'après l'inscription tombale elle se trouvait là, sous mes pieds. Mais je ne réussissais pas à y croire. Ni à trouver les mots.

Du regard, sans bouger, j'ai exploré les alentours. Quelques centaines de plaques grises, debout ou couchées, flanquées ici et là de croix et encombrées de bouquets fanés. C'était tout.

— MAAAAMAAANNN !

Le vent a émis un long sifflement.

Parfois, la nuit, quand j'étais petite, j'avais peur. Je courais jusqu'à la chambre de Fernande et Léandre et, le nez collé à la porte fermée, j'appelais :

— Maamaann… Maamaann…

Elle finissait toujours par répondre.

Je me suis allongée à plat ventre dans la neige et, de mes mains, j'ai creusé un trou jusqu'à l'herbe roussie. Et j'ai crié.

— MAAMAAANNN !

Dix fois, vingt fois, cent fois peut-être. Jusqu'à ce que les mots se tordent dans ma gorge.

Puis j'ai fermé les yeux. Et je lui ai parlé.

— Je t'aime, maman. Autant. Plus qu'avant. Depuis que tu es partie, je marche, je parle, je respire comme avant. Mais c'est de la frime. Plus rien n'est pareil. Il manque des bouts de moi. J'ai l'air d'un brave petit soldat, mais je crie en dedans. J'ai mal comme si une bombe m'avait arraché un bras.

Le vent s'était tu. Il écoutait lui aussi.

— J'ai un bébé, maman. Il grandit depuis des semaines déjà. Je n'y peux rien.

Et le pire, c'est que je me sens vide quand même. À cause de toi.

La mort avait creusé un gouffre en moi. Un trou énorme que rien ne comblerait jamais. J'étais condamnée à porter toute ma vie cette immense absence.

De mes mains, j'ai repelleté soigneusement la neige. Je me sentais un peu mieux. J'étais contente d'être venue. En me relevant, j'ai su que je ne reviendrais jamais. Je savais où trouver Fernande maintenant. Elle serait toujours là, en moi, au cœur du vide et du silence.

Léandre avait sûrement entendu mes cris. Mais il n'était pas venu. Il me faisait confiance. Il a conduit plusieurs kilomètres en tenant le volant d'une seule main. De l'autre, il avait enserré la mienne.

Nous avons laissé la voiture au bord du chemin pavé pour le plaisir de descendre ensemble, à pied, jusqu'au lac. Les geais nous ont salués en criaillant. Lorsqu'ils se sont enfin calmés, j'ai cru percevoir une plainte. Des gémissements pas tout à fait humains.

Léandre aussi avait entendu. Nous avons couru jusqu'à la maison. La plainte provenait de la remise à côté. Lorsque nous avons ouvert la porte, une boule noire s'en est échappée en jappant. À peine l'avais-je cueillie qu'elle m'attrapait un doigt pour le téter.

Un petit carton pendait à la cordelette attachée à son cou. Jean avait écrit : *une amie pour mon amie.*

C'est bien une femelle. Je l'ai baptisée Jeanne.

# Chapitre 6

## La star à bedaine

Ça y est ! Je suis immense. Une bedaine terrible, des seins énormes. Je fuis tous les miroirs.

J'ai repris les quatre kilos perdus et trois autres en prime. En me pesant, hier, le Dr Larivière était ravi. Il m'a félicitée, comme si chaque gramme était un exploit. Après, il m'a donné trois millions de conseils et il a posé des tas de questions sur mes projets. Je devrais lui offrir le livre du psy qui dit qu'on doit croquer la vie un seul jour à la fois. N'empêche. Le Dr Larivière a raison. Je devrais rencontrer un travailleur social.

La semaine dernière, j'ai sauté les cours de gym. Tout le monde aurait vu ma bedaine. Depuis trois jours, la fermeture éclair de mon jean coince à mi-hauteur. Plus moyen de convaincre le bouton de rejoindre la boutonnière. J'utilise un bout de lacet pour attacher la ceinture. Heureusement que la mode est aux longs chemisiers amples. Tous les matins, je pige dans l'armoire de Léandre.

Aujourd'hui, j'ai pris mon courage à deux mains pour annoncer la nouvelle. Ça ne pouvait plus durer.

J'ai choisi le cours de formation personnelle et sociale. Au début de chaque leçon, M^lle^ Painchaud nous invite à « partager notre vécu ». Claude Dubé en profite toujours pour dire des niaiseries. Récemment, il a encore demandé la parole pour raconter un rêve supposément très symbolique, psychologique et hyperbolique. La pauvre M^lle^ Painchaud a dû l'interrompre au moment où il déshabillait Nathalie Gadouas. En rêve, bien sûr.

Gisèle Painchaud était bien surprise de voir ma main levée. Sylvie m'a lancé un clin d'œil d'encouragement. Elle était au courant.

J'ai marché jusqu'au pupitre de Mlle Painchaud. Je me tenais debout, bien droite, devant le tableau. D'habitude chacun reste à sa place pour parler, mais je voulais voir tout le monde. Plus tard, je me suis demandé dans quel tiroir oublié j'avais déniché tout ce courage.

— J'ai un secret à partager. J'aurais pu vous le confier il y a plusieurs semaines, mais je n'étais pas prête. Je vais avoir un bébé.

Il y a eu un long silence. Puis Claude Dubé a sifflé. Il a aussi lancé un « Cré Antoine ! » avant d'éclater d'un gros rire gras.

J'ai rougi. Mais pas de honte. J'étais furieuse.

— Ta gueule, Claude Dubé ! Tu aimes salir tout le monde, mais ça ne marchera pas avec moi. Ouvre bien tes deux grandes oreilles, Claude Dubé. Je vais avoir un bébé. Ce n'était pas planifié. Ç'aurait pu arriver à la moitié au moins des filles de la classe. Je ne me suis pas fait avorter, alors il pousse mon bébé.

Un nœud s'était formé dans ma gorge. J'ai dégluti pour tenter de le chasser.

— Il va grandir encore pendant cinq mois. Je ne demande pas d'aide, ni de pitié.

Je voulais seulement l'annoncer. Je risque de grossir pas mal et je n'avais pas envie que vous vous cotisiez pour m'inscrire au club Weight Watchers.

Il y a eu quelques gloussements dans la classe. C'était correct.

— Quant à toi et à ta gang, Claude Dubé, je vous avertis: je ne veux pas que mon bébé soit dérangé. Alors, ne venez pas m'achaler. Pensez tout ce que vous voulez, je m'en sacre. Mais fermez vos gueules. Compris?

J'ai regagné ma place avec trente paires d'yeux braqués sur moi. M^lle^ Painchaud n'avait encore rien dit. Lorsqu'elle a pris la parole, sa voix était ferme mais elle n'avait pas la même tonalité que d'habitude.

— Merci, Marie-Lune... J'avais autre chose au programme ce matin, mais si vous me le permettez, j'aimerais bien, moi aussi, partager avec vous un peu de mon vécu.

La classe était parfaitement silencieuse. On aurait pu entendre une souris soupirer. Je crois que nous étions tous un peu gênés. Les profs aiment bien qu'on dise nos émotions, nos pensées, nos projets, nos rêves. Mais la plupart d'entre eux ne nous confieraient même pas ce qu'ils ont mangé pour déjeuner.

Gisèle Painchaud nous a raconté qu'à seize ans, elle a épousé l'ami d'un de ses oncles, de douze ans son aîné. J'étais sidérée. Gisèle Painchaud, alias « la vieille fille », avait été mariée. Mieux ! Elle avait aimé passionnément un homme presque deux fois plus âgé qu'elle.

Quelques mois après les noces, il l'avait déjà trompée. Le jour de leur premier anniversaire de mariage, elle a marché jusqu'à la gare Centrale et elle a acheté un billet.

— J'ai abouti ici parce que le train du Nord était déjà en gare. J'avais juste assez d'argent pour me rendre à Saint-Jovite. Si j'en avais eu plus, c'est peut-être au Labrador que j'enseignerais aujourd'hui.

Quelques semaines plus tard, Gisèle Painchaud découvrait qu'elle attendait un bébé. Elle s'est fait avorter.

— Ça s'est passé il y a vingt-cinq ans. Seule avec un bébé, j'aurais eu du mal à trouver un emploi. Les filles mères avaient beaucoup de difficulté à l'époque. De toute façon, j'étais brisée. Je me sentais bien trop malheureuse pour avoir un bébé.

— Le regrettez-vous ?

La question venait du fond de la classe, là où Claude Dubé a installé ses quartiers.

— Non... Je ne crois pas. Mais en écoutant Marie-Lune, tout à l'heure, j'ai été émue. Elle a raison de faire taire les mauvaises langues. C'est trop bête de les laisser nous gouverner.

La cloche a sonné sans provoquer la réaction habituelle. Au lieu de foncer vers les portes comme si tous les pupitres étaient en flamme, les élèves ont ramassé tranquillement leurs cahiers et la plupart d'entre eux ont souhaité une bonne journée à Gisèle Painchaud avant de s'en aller.

Elle avait dit: « J'étais brisée. Je me sentais bien trop malheureuse pour avoir un bébé. » Et j'avais eu envie de hurler: « Moi aussi! » J'ai quitté la classe en évitant de la regarder. Je me demandais dans quelle galère j'étais embarquée. J'avais besoin d'air. Tant pis pour le cours de chimie.

Dehors, le ciel était misérable. Un jour gris de fin mars. Je n'avais ni bottes ni manteau. Je voulais seulement sentir un peu le vent. J'ai aspiré un grand coup en balayant la cour d'un regard distrait.

Mon cœur a bondi. Antoine était là! Pas seul sous le tilleul comme à l'habitude. Là, presque à côté.

Avec Nathalie Gadouas!

Je les ai revus, dansant devant moi, en octobre, cinq mois plus tôt. Antoine ne m'aimait pas encore. Je les ai revus et je me suis souvenue qu'ils étaient beaux ensemble.

Aujourd'hui, ils ne dansaient pas. Mais ils étaient collés l'un contre l'autre et j'avais mal partout. Ils me tournaient le dos, leurs corps un peu penchés vers l'avant.

— Antoine!

Il s'est retourné. Ses doigts tenaient une cigarette fripée. Une des extrémités était tortillée. Nathalie avait un briquet.

— Salut, Marie-Lune! Ne te fais pas d'idée... Je n'essaie pas de voler ton chum. On allait fumer un joint. En veux-tu?

— NON!

Antoine avait répondu pour moi. Il avait presque crié, mais il s'est vite ressaisi.

— Euh... Marie-Lune ne fume pas... Elle n'aime pas le goût... Tiens, Nathalie, prends-le. Je veux parler à ma blonde.

Antoine m'a poussée à l'intérieur. Je grelottais déjà. Il m'a frictionné le dos comme si j'étais une enfant de cinq ans fraîchement sortie du bain.

— Lâche-moi!

— Marie-Lune... Il n'y a rien entre Nathalie et moi. Voyons donc!

— Fais tout ce que tu veux avec Nathalie Gadouas. Je m'en sacre. Et si tu veux te droguer en plus, vas-y, ne te gêne pas. Prends-en pour moi, tiens. Je ne me drogue jamais enceinte.

Ça faisait du bien d'être méchante. Je ne savais pas ce qui m'enrageait le plus : le joint ou Nathalie Gadouas ?

Peut-être qu'Antoine ne l'aimait pas. Mais elle était mince, elle. Je revoyais son ventre plat et ses petites fesses bien rondes dans son jean super serré. Et le reste n'était pas caché sous un chemisier ! Nathalie préfère les chandails bien moulants. Comme ceux qu'il m'arrivait de porter moi aussi, dans le temps où j'étais sexy. Avant l'époque baleine.

— Si c'est le joint qui te fait monter sur tes grands chevaux, prends ça cool. Je fume un peu. Ce n'est pas nouveau. J'en prenais déjà avec Nathalie bien avant de sortir avec toi. Elle a toujours un joint dans les poches. Et elle m'invite… Une petite puff, ce n'est pas un crime !

— Une fois gelés, qu'est-ce que vous faites ensemble ?

— Rien, Marie-Lune. Nathalie, ce n'est pas mon genre. Et elle sait que je t'aime. Tout le monde sait que je t'aime.

— La drogue, ça me pue au nez, Antoine Fournier. Tu ne penses pas que la vie est assez compliquée sans ça ?

— Oui… Tu as raison… Si tu veux, j'arrête…

Il avait l'air d'un gamin pris en faute. Je me suis souvenue qu'il m'aimait. J'y croyais de nouveau. Mais ça ne suffisait plus. La colère disparue, il restait le chahut. Un terrible désordre.

— Antoine… Je te sens loin de moi. De plus en plus. Toute la journée, toute la semaine presque, je suis seule avec ma bedaine pendant que tu pompes de l'essence. J'ai besoin de faire le ménage dans ma tête… de mettre de l'ordre dans mon cœur, pour décider de ce que je fais avec le bébé…

On aurait dit qu'il avait cessé de respirer. Ses yeux étaient vides. Muets. Puis il a éclaté.

— Et moi dans tout ça ? Tu penses que c'est facile ? Au garage, ce n'est pas un party. Tu as ta bedaine, mais moi je n'ai rien. Rien ! Comprends-tu ça ? Je ne sais plus quoi faire pour t'accrocher.

J'ai cru qu'il allait pleurer. Mais sa peine s'est changée en colère. Ses mains ont serré mes épaules et il m'a secouée.

— C'est à moi aussi, ce bébé-là. Tu n'as pas de cœur, Marie-Lune Dumoulin-Marchand. C'est ça, ton problème ! Tu ne m'aimes pas... Et tu n'as même pas le courage de l'admettre. Des joints, j'en prends au moins deux par jour depuis quelque temps. J'en ai besoin pour oublier que tu n'es pas sûre de vouloir garder notre bébé.

Je l'ai regardé, droit dans les yeux, et je l'ai repoussé. De toutes mes forces.

— Tu as peut-être raison. C'est bien possible que je n'aie plus de cœur. Il est probablement défoncé. Il a encaissé tellement de coups, ce cœur-là, depuis quelques mois, qu'il est tout aplati. Plus capable de pomper. Comprends-tu ça ?

Cette fois, j'étais déchaînée.

— C'est facile de regarder l'autre dans le blanc des yeux et de dire « Je t'aime, marions-nous. » Tout le monde peut rêver tout haut. Mais c'est plus dur de trouver les moyens après, hein, Antoine Fournier ? T'es-tu assis pour calculer comment on pourrait vivre avec ton salaire ? Es-tu rentré dans une pharmacie pour lire le prix sur les paquets de couche et les caisses de lait maternisé ? Je ne t'ai peut-être pas demandé de m'épouser, mais je suis allée faire un tour à la pharmacie et j'ai passé plusieurs nuits à jongler avec des chiffres.

Il faisait pitié. On aurait dit un enfant, debout dans la tempête, trop apeuré pour bouger. Il me regardait, stupéfait. Je sentais les arbres fragiles dans sa forêt. Ma voix s'est adoucie.

— Je n'ai rien décidé, Antoine. Si je ne t'aimais plus, ce serait plus simple et plus facile. Je n'ai peut-être pas de cœur, mais je rêve encore. Et dans mes rêves, une nuit sur deux, on est trois. Toi, lui et moi. Mais il y a aussi des nuits où je garde le bébé et tu n'es pas dans le portrait. Ça aussi, c'est vrai. Et il y en a d'autres où je me sauve en courant, les bras vides, tout de suite après l'accouchement. Je me réveille en hurlant et j'ai mal comme si une bête m'avait dévoré le cœur. Je n'ai pas encore décidé, Antoine, mais si tu m'aimes, tu vas respecter mon choix.

Il a répondu oui d'un faible hochement. Des bêtes hurlaient dans sa forêt. Je le savais, je les entendais. Mais je n'y pouvais rien. Antoine est parti sans me regarder.

Il pleurait.

À la cafétéria, ce midi, on me demandait presque mon autographe. La star à la bedaine! La moitié des élèves de l'école sont venus me féliciter pour mes deux exploits: clouer le bec de Claude Dubé et cultiver un bébé. Lise Labbé m'a offert les vieux pyjamas de sa jeune sœur, Luc Proulx m'a proposé un landau « beau, bon, pas cher » et Sophie Tremblay a promis de garder le bébé les soirs où son chum joue au hockey.

J'étais soulagée quand l'autobus m'a enfin déposée au 281, chemin du Tour du lac. Jeanne a couru à ma rencontre en jappant de joie, sa queue frétillante fouettant l'air à toute vitesse. Je me suis penchée pour l'accueillir dans mes bras et en me relevant j'ai senti quelque chose.

C'était difficile à expliquer. J'avais eu l'impression d'un faible mouvement. Ce n'était pas un coup, ni même un battement. Un roulement peut-être.

J'ai marché lentement jusqu'à la maison. Léandre allait bientôt arriver et je voulais le surprendre avec un repas déjà préparé, mais avant, j'avais envie de m'étendre un peu.

J'allais m'assoupir quand la vague a roulé.

Depuis quelques jours, j'étais aux aguets. Le D^r^ Larivière m'avait prévenue que ça se produirait bientôt. Mais je m'attendais à un vulgaire coup de pied. Ce qui s'était produit était bien différent, comme une ondulation, un pas de danse. Une vague ronde culbutant doucement. C'était chaud. Et doux et bon.

Trois fois, la mer a dansé en moi. Trois petits cadeaux. Trois signes de vie. Trois saluts.

Je ne l'ai pas dit à Léandre. C'était trop magique, trop secret. Un jour, je le laisserai toucher mon ventre à marée haute. Pas tout de suite.

Avant de me coucher pour de bon, plusieurs heures plus tard, j'ai fouillé longtemps dans mes tiroirs en désordre. J'ai mis vingt bonnes minutes à dénicher ce que je cherchais. Fernande m'avait offert ce carnet fleuri trois ou quatre Noël plus tôt. Je l'avais trouvé trop joli pour en noircir les pages.

C'est un journal personnel. À l'époque, toutes mes amies en possédaient un. Sylvie passait des siècles à consigner tous les détails de ses journées dans le sien. Sur la page de garde du mien, j'ai écrit : *Lettres à mon fœtus.*

*chez ces moustiques: leur cran. Leurs membres sont plus frêles qu'un cheveu et ils osent se poser sur nous, les géants, alors même que des millions d'humains ont déjà tué des milliards de maringouins. Remarque qu'ils n'ont peut-être jamais vu les cadavres de leurs copains.*

*Quand même! Il faut du front.*

*Je ne sais pas si c'est scientifiquement possible, mais il me semble que les fœtus ont une personnalité. Toi, par exemple, tu as la tête dure. Quand tu veux quelque chose, tu es drôlement décidé. « C'est rare un bébé aussi bien accroché. Celui-là, il n'y a rien pour le déloger. » J'aime bien me répéter les paroles de Marielle Ledoux. C'est drôle à dire, mais je suis fière de toi.*

*Je pense que tu es pas mal intelligent aussi. Tu devines des choses. Aujourd'hui, par exemple. J'ai promis de te tenir en vie, mais j'avais mon voyage. Comme si ma journée n'avait pas été assez mouvementée, l'espèce de tête de lard qui se dit prof de chimie m'a collé un douze sur vingt-cinq pour le dernier rapport de laboratoire. « Expérience ratée. Manque d'efforts. Où as-tu la tête? » À bien y penser, j'aurais dû répondre la vérité: quelque part entre un cimetière et une pouponnière. Elle est là ma tête. Compris, cervelle de moineau?*

*Ce n'est pas facile d'être enceinte et en désastre en même temps. Fernande me manque. Terriblement. Si tu savais ce que je donnerais pour qu'elle me prenne dans ses bras. Antoine est là, mais on dirait que tu crées un barrage entre nous. Je t'en veux souvent. Mais ne t'en fais pas. J'en veux à Antoine aussi. Et au monde entier.*

*Je m'ennuie de l'Antoine d'avant. Celui qui m'attendait tous les matins sous le tilleul. Il fumait peut-être un joint de temps en temps, mais je ne le savais pas. Il voulait déjà laisser l'école et il n'avait pas la moindre idée de ce qu'il ferait de sa vie, mais je ne le savais pas.*

*Je savais seulement que son corps était bon contre le mien. Qu'il sentait la terre mouillée et les feuilles d'automne. Que ses yeux étaient plus verts que la forêt, et qu'en courant dans mon dos, ses mains me donnaient des frissons.*

*Tout ça, c'était il y a cent ans. Avant que Fernande se sauve, avant que tu t'installes sans permission...*

*Je pense que tu es intelligent parce qu'aujourd'hui, tu as deviné qu'il était grand temps de me dire bonjour. J'avais besoin de pouvoir m'agripper à quelque chose de vrai et de vivant. Je commençais à me demander si je n'étais pas gonflée d'air. J'en avais ras le bol, j'en avais plein le dos, quand tu m'as saluée. Enfin !*

*Merci…*

*C'est vraiment chouette quand tu bouges. C'est magique et mystérieux. Et très réel en même temps.*

*Bonne nuit,*
*Marie-Lune*

J'ai retrouvé mon journal sous mon lit tout à l'heure, ce qui en dit long sur la qualité du ménage depuis que Fernande est partie. Au cours des trois dernières semaines, le plancher de ma chambre n'a pas vu l'ombre d'un poil de balai. De gros flocons de mousse flânaient tout autour de mon carnet.

Léandre m'a tendu une carte d'affaires ce matin : Josée Lalonde, travailleuse sociale. Plus moyen de remettre ça à demain. Surtout que le Dr Larivière m'avait déjà donné la même. J'ai donc promis de prendre rendez-vous.

La neige a fondu un peu cette semaine. Il pleut souvent, mais de nouveaux flocons tombent le lendemain. J'ai hâte qu'avril soit fini. Vivement le soleil de mai ! J'envie Flavi. Depuis le 1er janvier, ma grand-mère se fait rôtir au soleil de Miami. Elle ne sait pas que je suis enceinte. Léandre et moi devions le lui cacher, car elle serait revenue.

Antoine est parti il y a deux semaines. M. Talbot construit un nouveau garage au lac Nominingue, à plus d'une heure d'ici. Antoine a sauté sur l'emploi. Il travaille sur le chantier. Depuis, il n'a pas téléphoné. Ni écrit.

La veille de son départ, il est venu au lac. Très tard. Je ne l'espérais plus. Je l'imaginais déjà avec une autre, mince et belle. Je croyais vraiment qu'il ne m'aimait plus.

Je sortais de la douche lorsqu'il est arrivé. Je devais ressembler à un énorme canard. J'avais tout juste eu le temps d'enfiler un peignoir. Antoine aussi était mouillé. Et gelé : il pleuvait encore.

Il a dit des tas de sottises qui ont chamboulé le semblant d'ordre dans mon cœur et dans ma tête. Des tas de merveilleuses sottises auxquelles j'avais envie de croire.

— T'es belle, Marie-Lune. On dirait que t'as un petit soleil dans ton ventre.

Des mots qui foutent le bordel. Qui virent tout à l'envers.

J'avais envie qu'il m'aime, qu'il reste. J'avais peur d'être seule. J'allais me réfugier dans ses bras lorsque j'ai revu dans ma tête les mots tracés au couteau sur la porte d'une cabine des toilettes des filles à l'école: *Marie-Lune la putain.*

Je ne sais pas ce qui m'a pris. J'ai dénoué la ceinture de mon peignoir et je l'ai laissé tomber. Sous le vêtement, il y avait une fille de quinze ans, qui rêvait d'être sexy mais se sentait grosse comme un éléphant.

— Regarde-moi bien, Antoine Fournier! Et dis-moi que t'as envie de moi. Dis-moi que je suis aussi belle que Nathalie Gadouas.

À bien y penser, je crois qu'il a fui devant ma fureur. Il me trouvait peut-être vraiment belle, mais il a eu peur de ma rage.

Antoine est parti sans m'embrasser.

Souvent, le midi, à la cafétéria, je souhaite encore que M^me^ Ouellette me remette un billet d'Antoine en même temps que mon assiette.

C'est sûrement à cause de tous ces départs: Fernande, Flavi, Antoine... À cause des pluies d'avril aussi. On finit par se sentir perdu. Sinon, ce qui est arrivé ce soir ne se serait jamais produit.

Léandre m'avait avertie qu'il rentrerait tard. J'avais allumé un feu dans le foyer et je brossais le pelage de Jeanne lorsque j'ai entendu un craquement. Jeanne a aboyé. En relevant la tête, j'ai vu un homme. Il était là, dehors, à cinq mètres de moi. Le nez écrasé dans la fenêtre de la salle à manger, il me dévorait de ses yeux fous.

Je n'ai pas crié. Ça ne servait à rien. Le premier voisin habite à un demi-kilomètre. La porte de la cuisine était verrouillée mais pas celle du côté des chambres à coucher. J'ai couru pousser le verrou. À mon retour, l'homme était parti.

Je ne tremblais pas. J'étais figée, terrorisée.

J'ai vu le téléphone, juste à côté. Au journal, la ligne était occupée. J'aurais dû téléphoner chez Sylvie. Monique serait venue me chercher. Mais j'ai composé le numéro de M. Lachapelle. Louise a répondu.

Cinq minutes plus tard, Jean est arrivé. J'étais encore pétrifiée. Il n'a pas frappé à la porte. Il m'a appelée tout bas.

— Marie-Lune… Marie-Lune… C'est fini. N'aie pas peur. Viens m'ouvrir.

J'ai rassemblé suffisamment de courage pour me lever et tirer le verrou de la porte de la cuisine.

Je me suis jetée dans ses bras en pleurant à chaudes larmes. J'aurais réagi de la même façon avec M. ou M^me^ Lachapelle.

Jean m'a serrée très fort. Longtemps. J'ai deviné qu'il avait eu peur pour moi. Puis il m'a soulevée et il m'a portée dans ses bras jusqu'au salon. Ma tête n'avait pas quitté le nid chaud au creux de son épaule. Il était assis maintenant et j'étais roulée en boule, blottie contre lui.

Il lissait mes cheveux de sa main d'un geste doux, pour m'apaiser. Je ne pleurais plus. J'ai cherché ses yeux sombres.

Sylvie est dans les prunes. Jean ne préfère pas les garçons.

Son visage s'est penché vers moi. Ses lèvres ont effleuré mon front, ma joue, mon cou. C'est tout.

Je tremblais. Mon corps ne bougeait pas d'un centimètre, mais à l'intérieur tout s'agitait. Je suis poche en bio. J'oublie toujours tous les trucs qu'on a sous la peau. Mais ces choses-là se démenaient comme les dernières feuilles sous la première tempête.

Je devais rester immobile. Le moindre geste aurait pu déclencher l'avalanche. Qui sait ce qu'on aurait fait… Il a relevé la tête et j'ai fermé les yeux.

Quand Léandre est arrivé, nous dormions tous les deux. Je n'avais pas bougé. Ma tête était encore nichée dans la chaleur de l'épaule de Jean.

# Chapitre 8

## La dame aux hippopotames

Josée Lalonde, la travailleuse sociale, m'a laissé trois dossiers. Un bleu, un jaune et un vert. Trois possibilités. La quatrième, c'est moi.

Dans chacun des dossiers, il y a deux parents. Josée m'a remis leur histoire. Tout y est, sauf les noms et les visages.

Josée a beaucoup parlé. Moi, je n'ai presque rien dit. Ce que je veux ? Je ne le sais pas. Rester enceinte toute ma vie, tiens. Rien décider. Elle dit que j'ai le choix. Mon œil ! Garder mon bébé ou le donner ! Quand les deux solutions sont tristes, ça ressemble moins à un choix. Je m'imagine promenant un landau pendant que mes amies courent les discothèques et j'ai envie de pleurer. Mais quand je me vois sortir de l'hôpital les bras vides, je me retiens de crier. Parce que ça risquerait de fendre les falaises.

La balle est dans mon camp maintenant. Je peux choisir les parents de mon bébé. Tout comme je peux encore décider de le garder. Avec Léandre peut-être… Antoine n'a toujours pas donné signe de vie. Mon numéro d'épouvantail a dû l'effrayer pour de bon.

J'essaie de ne pas penser à lui. Ni à Jean. Parce que c'est le fouillis en dedans.

Avant d'ouvrir les dossiers, j'ai fait un pacte avec moi-même. Si aucun de ces parents de papier ne faisait l'affaire, je garderais le bébé. Je me suis installée dans mon lit, bien au chaud sous les couvertures, pour lire ces histoires de vie.

En refermant le dossier jaune, j'étais furieuse. La dame a quarante ans, son mari quarante-deux. Il est ingénieur; elle travaille en publicité. Ils n'ont jamais eu de bébé parce qu'ils étaient trop occupés à collectionner des liasses de billets verts. Soudain, à trente-six ans, madame s'est découvert un cœur de mère. Du jour au lendemain.

Le hic, c'est que sa machine à bébé avait déjà commencé à mal tourner. Son médecin lui a suggéré de se contenter de la publicité. Madame a jeté les hauts cris et quitté son emploi. Depuis, elle joue les martyres. Elle veut prouver au monde entier que son cœur de mère est en hémorragie. Toutes ses voisines doivent la plaindre.

Moi, ça me fait chier.

La travailleuse sociale a utilisé des mots neutres et réfléchis pour raconter leur histoire, mais j'ai deviné des tas de bibites chez ces gens-là. Quelques phrases, entre autres, m'ont piquée :

*Ce couple plein de bonne volonté est persuadé qu'il peut donner à un enfant tout ce dont il aura besoin. Les X habitent un immense condo avec vue sur le fleuve. Monsieur et madame ont déjà acheté des certificats bancaires en prévision des études universitaires de leur enfant. Madame préfère une fille et monsieur un garçon, mais ce qui compte le plus pour eux, c'est de recevoir un bébé en bonne santé.*

Ces deux idiots croient que dans la vie on achète tout. Les condos, les diplômes, les bébés. Ils se croient supérieurs parce qu'ils ont tout plein d'argent. Ils pensent que ça suffit pour être de bons parents.

Vous voulez un bébé en santé ? Eh bien tant pis ! Il n'y a rien de garanti. Un bébé, ce n'est pas un ouvre-boîte. On ne peut pas le retourner au magasin à sa première grippe. Imbéciles, va !

Jamais, jamais je ne vous laisserai toucher à mon bébé.

Avant de plonger dans le dossier suivant, j'ai fait un saut à la cuisine. Un grand verre de lait et trois biscuits au chocolat garnis de crème à la vanille allaient me calmer. Léandre sirotait un café. Je lui ai tout raconté à propos du couple au gros condo.

Je n'avais pas terminé qu'il éclatait de rire. J'étais un peu offusquée. C'est sérieux ce que j'ai à décider.

— Veux-tu savoir ce que je pense, Marie-Lune ?

— Mmmouais...

— Je pense que tu as raison. Ce couple-là n'est pas convaincant, disons. Mais je pense aussi que tu exagères beaucoup et que tu es furieuse parce que... parce que tu as envie de le garder, ton bébé. Tu l'aimes déjà...

— Aimer ! aimer ! C'est bien beau, mais ça ne règle pas tout.

Merde ! Juste à ce moment, le petit bonjour a bougé. C'était… flagrant. On aurait dit une pirouette. Quelque chose d'acrobatique. Un long mouvement ample.

— Que se passe-t-il, Marie-Lune ?

— Il se passe qu'il essaie de me parler. Tiens… touche…

Nous devions avoir l'air intelligent. Moi debout à côté du réfrigérateur, lui à genoux, les mains plaquées sur ma bedaine. C'est tout juste si on respirait.

— Oh ! Ça y est !

Léandre était fou de joie. Jeanne a couru vers nous et s'est mise à aboyer, l'air de dire : « Moi aussi, je veux toucher. »

— Attends ! Il le fait encore. Oh ! Marie-Lune ! Ça me rappelle quand c'était toi. Tu courais des marathons la nuit. À la fin de sa grossesse, Fernande n'arrivait plus à dormir. Je posais mes mains sur son ventre, comme ça, pour te calmer. Et ça marchait !

Je suis retournée dans mon lit et j'ai chanté la comptine de « la poule sur un mur qui picosse du pain dur » pour décider du prochain dossier à lire. Au « va » de

« lève la queue et puis s'en va », mon index est tombé sur la chemise bleue.

Les deux de ce couple-là, je les ai baptisés Armand et Armande. Pourquoi ? Je ne sais pas. L'histoire est un peu banale. Ils se sont connus à l'école. En cinquième année ! Et ils s'aiment depuis. C'est gentil.

Ils ont sagement attendu d'avoir vingt ans pour se marier. Et ils ont travaillé dur, autant pour gagner leur vie que pour fabriquer un bébé. Armand est machiniste dans une usine de pièces d'automobiles et Armande fait un peu de tout : du ménage, des tartes, des rideaux, du pâté chinois... Elle sait aussi faire des bébés, mais Armand a plus de difficulté. Un problème de spermatozoïdes...

Franchement, je trouve qu'ils font pitié. Même que ce ne serait pas si mal s'ils avaient mon bébé. Ce qui me chicote, c'est qu'il n'y a rien dans ce dossier. Pas l'ombre d'une bête noire. Mais pas de magie non plus.

Quand la travailleuse sociale leur a demandé pourquoi ils tenaient tant à avoir un bébé, Armand a répondu : *C'est pas qu'on y tient tant. On est heureux quand même. Mais il me semble qu'avec un bébé, ça serait plus gai, plus vivant, ici. J'aime ma femme, mais à deux, à la longue, on s'ennuie. J'ai pas vraiment d'expérience avec les bébés, mais elle est l'aînée d'une famille de sept. Des couches et des biberons, elle a déjà vu ça.*

Ils veulent un bébé-rayon-de-soleil, mais on sent qu'ils l'aimeraient aussi les jours de pluie. C'est correct.

Mais ce n'est pas assez.

J'étais fatiguée. Je pensais attendre au lendemain pour lire le dernier dossier. Je l'ai ouvert seulement pour voir s'il contenait plusieurs pages. Une enveloppe bleue en est tombée. À l'intérieur, il y avait une lettre. Les mots avaient été tracés d'une écriture fine et gracieuse.

*Chère amie,*

*Vous pourrez, bien sûr, lire mon histoire dans le dossier préparé par les Services sociaux, mais je tenais à vous la raconter avec mes mots.*

*J'ai déjà été enceinte, comme vous, il y a six ans. J'étais folle de joie. Mon mari aussi. Ça fait cliché mais c'est la vérité : nous aimons beaucoup les enfants.*

*J'ai une petite boutique de vêtements pour dames avec un rayon pour enfants à l'arrière. Je dessine et je couds moi-même les vêtements pour tout-petits. Ma boutique ressemble un peu à un zoo. J'adore découper des animaux dans de jolis tissus pour les broder ensuite sur les pyjamas, les tuniques, les jupes et les salopettes. Mes hippopotames sont vraiment très drôles...*

*J'ai ouvert le rayon pour enfants pendant ma première grossesse. J'étais très heureuse d'être ronde comme un ballon. Les neuf mois ont été magnifiques.*

*L'accouchement a été douloureux, bien sûr, mais tout se déroulait bien. Mon mari disait que j'accouchais comme une chatte. Je riais parce qu'il n'y connaît rien. Il n'avait jamais assisté à un accouchement avant. Il est ébéniste.*

*J'ai expulsé un bébé mort-né. Il bougeait en moi quelques heures avant, mais il n'a jamais respiré.*

*J'ai pleuré pendant des mois. Je travaillais beaucoup, pour oublier. J'ai continué à coudre des vêtements pour enfants parce que j'aime bien voir mes petits clients rire en pointant du doigt un crocodile, une souris ou un éléphant.*

*Tout au long de ma grossesse, j'avais parlé à mon bébé. Après le triste accouchement, j'ai continué à le faire. Nous habitons une érablière un peu à l'écart du village où je travaille. J'aime beaucoup la nature. Quand le temps change, quand les feuilles tombent ou que la sève monte, je le raconte encore à mon bébé.*

*Nous avons attendu deux ans avant de tenter l'aventure d'une nouvelle grossesse. Je ne voulais pas remplacer mon bébé mort, mais je voulais un autre enfant. Vivant cette fois. Je l'ai perdu au quatrième mois. Ce fut très douloureux. Le médecin m'a conseillé de ne plus essayer. La prochaine fois, c'est moi qui pourrais y rester.*

*C'est horrible de perdre un bébé. On l'aime déjà, mais on n'a pas de souvenirs à chérir. On se sent tellement vide…*

*Mon mari et moi voulons encore un enfant. Nous avons refait nos forces et nous nous sentons d'aplomb malgré tous ces drames. Nous serions capables d'aimer de tout notre être l'enfant que vous nous confieriez.*

*Nous ne sommes pas riches, mais nous vivons bien. Nous nous aimons beaucoup. Il faut être très amoureux pour survivre aux épreuves que nous avons connues.*

*Il y a des gens qui cherchent la gloire. D'autres, la richesse. Ce que nous voulons le plus au monde, c'est un enfant.*

La lettre n'était pas signée, car les adoptions se font dans l'anonymat. Le dossier n'ajoutait pas grand-chose. La lettre avait dit l'essentiel. La travailleuse sociale avait rédigé son rapport dans un style un peu officiel, avec des mots bien pesés, mais l'enthousiasme perçait entre les lignes.

J'avais si peu à offrir à mon bébé. Ma candidature méritait-elle encore d'être retenue ? Il existait quelque part des parents presque parfaits. Ils mouraient d'envie de tenir mon bébé dans leurs bras. Et ils le méritaient bien en plus.

Le drame, c'est que moi aussi, j'en avais envie. De plus en plus chaque jour. Malgré ma peur. Malgré ma peine. Malgré mes rêves d'avenir.

J'ai ouvert mon carnet et j'ai écrit, moi aussi.

*le 12 mai*

*Cher moustique,*

*Je suis jalouse d'une dame merveilleuse qui voudrait t'adopter. Quoi qu'il arrive, il faudra que tu te souviennes qu'avant même ta naissance, des tas de gens auraient donné la lune pour toi.*

*Même moi... Il y a quelques mois, j'aurais bien voulu pouvoir me débarrasser de toi. Mais aujourd'hui, c'est différent. Je suis contente que tu sois si bien accroché, même si ça bouleverse ma vie. Tu es mon ami. Ma petite boule bien vivante qui me tient chaudement compagnie. Grâce à toi je me sens moins seule au monde.*

*Ton père n'est pas là. Il n'a pas lu les dossiers. Il ne sait rien de nous depuis des semaines. Et je lui en veux. Mais il a mal lui aussi. Il t'aime, lui aussi. J'en suis presque sûre.*

*Il s'appelle Antoine. Il est grand et beau. Et je l'aime encore, malgré tout. Il voudrait qu'on vive ensemble tous les trois. C'est peut-être encore possible… Mais quelque chose me dit qu'il ne faut pas. Même si, souvent, j'en meurs d'envie. Ce serait une erreur pour nous deux.*

*Ton père est une forêt, moustique. Invitante, changeante. Chaude, enveloppante. Mon corps tremble juste d'y penser. Mais c'est une forêt ravagée. Une forêt de dix-sept ans qui a vu tous les temps. La vie a écorché ton père, moustique. Il rêve beaucoup et il fuit souvent parce que sinon, ce serait trop pénible.*

*À première vue, la dame du dossier vert devrait te faire une bonne mère. Mais ça me fait mal de vous imaginer ensemble.*

*J'aimerais bien, moi aussi, te tenir dans mes bras. Te caresser et te raconter la couleur du temps. C'est joli, les érablières, mais un lac, c'est bien plus beau.*

*Ma mère est morte, moustique. J'ai le cœur troué. Mais quand je pense à te quitter, mon cœur est prêt à exploser.*

*Il me reste encore quelques mois pour réfléchir. Quoi qu'il arrive, tiens bon ! Reste accroché. Je t'en supplie. Ne fais pas comme le bébé de la dame aux hippopotames.*

*Je t'aime,*
*Marie-Lune*

# Chapitre 9

## Cœur sous avalanche

Le lac a crevé ce matin. Il y a eu trois longs grondements sourds suivis de craquements plus courts. Léandre a pris ses jumelles. Et il a vu l'eau. Le printemps est arrivé. Enfin!

Dans l'autobus scolaire, Sylvie a babillé pendant quarante-cinq minutes sur le même sujet: Nicolas. C'est sa dernière flamme. Sa passion et sa raison de vivre depuis quatre semaines. Un record! D'habitude, les amours de mon amie durent en moyenne une fin de semaine.

La journée a passé vite, peut-être à cause du printemps dans l'air. J'avais encore le cœur léger quand la cloche a sonné. J'ai ramassé mes livres rapidement. J'avais hâte d'être dehors, de sentir à nouveau le printemps.

J'ai eu un choc en poussant la lourde porte. Antoine était là. Il m'attendait. Ses yeux riaient. Le soleil de mai brillait en lui.

Quelqu'un en moi a crié : « T'es un écœurant, Antoine Fournier. Un sans-cœur. » Quelqu'un en moi l'a inondé d'injures. Mais pendant ce temps-là, mes jambes couraient jusqu'à lui. Les insultes ont fondu dans la chaleur de ses bras et les restes de colère se sont effrités avant de voler en poussière.

Il m'a fait tournoyer comme une toupie.

— Attention ! Tu pourrais m'échapper.

— Pas de danger ! Je ne t'échapperais pas pour tout l'or du monde.

Il était revenu. Il m'aimait encore.

J'ai respiré un grand coup. Je voulais m'imprégner de son odeur. Lorsqu'il m'a repoussée un peu pour admirer mon ventre, j'ai vu Jean. Il marchait d'un pas ferme en direction du centre-ville. Depuis septembre, il travaille à la clinique vétérinaire presque tous les soirs après l'école. J'ai senti un frisson courir dans mon dos.

Depuis le fameux soir au lac, nous nous évitions.

Antoine m'a frictionné le dos. C'était presque une vieille habitude.

— Viens... Tu as froid.

Nous avons marché jusque chez lui. Son père n'était pas là. Je m'en doutais. Sinon, Antoine aurait choisi un autre endroit. Pierre Fournier n'est pas toujours d'excellente compagnie.

Nous nous sommes assis sur le vieux sofa. Une avalanche de souvenirs a dévalé en moi. Je nous revoyais, plusieurs mois auparavant, seuls ici pour la première fois.

Antoine s'est levé. Il s'est agenouillé à mes pieds et il a appuyé doucement sa tête sur mon ventre. On aurait dit qu'il voulait entendre ce qui se passait à l'intérieur. Pauvre Antoine! J'aurais dû lui dire que les bébés bougent parfois mais sans bruit. Tant pis! Je ne voulais pas briser la chaleur de notre silence.

Il s'est mis à caresser mon ventre. Puis il a soulevé lentement mon chemisier, détaché les lacets de mon jean et appuyé ses lèvres chaudes sur mon ventre.

Ses mains ont flatté la peau tendue de ma bedaine arrondie, puis elles ont massé ma taille et couru sur mes côtes avant de se poser sur mes seins. On aurait dit des ailes de papillon. C'était bon.

Depuis des mois, j'avais envie d'être aimée, d'être désirée. Je m'étais si souvent sentie grosse et laide. Sous les mains d'Antoine, je redevenais une princesse.

Nous avons fait l'amour. Pour vrai. Jusqu'au bout cette fois. C'était doux et bon. Lorsque Antoine s'est étendu à mes côtés, épuisé et heureux, je pleurais sans bruit. Je savais que c'était fini.

Il était venu me proposer de repartir avec lui. M. Talbot lui offrait un meilleur salaire à son nouveau garage. Antoine avait fait des calculs. C'était serré mais on pourrait arriver. Il nous avait déniché un appartement. Une seule chambre mais assez grande pour qu'on installe un lit de bébé au pied du nôtre.

Antoine avait parlé d'une voix fébrile sans me regarder. Il a relevé la tête. Mon visage ruisselait de larmes.

Il a compris que je l'aimais. Mais pas assez pour tout laisser.

J'ai demandé à Léandre de venir me chercher. En l'attendant, j'ai flatté les cheveux dorés de mon amoureux. J'essayais de ne plus pleurer, mais des larmes roulaient quand même de temps en temps.

Les pneus ont crissé et le moteur s'est tu. Léandre venait d'arriver ; il attendait. J'ai posé un dernier baiser sur les lèvres d'Antoine. Ses paupières étaient closes. J'aurais tant voulu plonger une dernière fois dans sa forêt verte. Mais c'était fini.

Je me suis effondrée dans les bras de Léandre. J'avais mal, mais mon père semblait soulagé. Il devinait qu'il y avait eu des adieux.

# Chapitre 10

## Fée ou bourreau ?

— M^me^ Josée Lalonde s'il vous plaît.
— Qui dois-je annoncer ?
— Marie-Lune Dumoulin-Marchand.

La téléphoniste m'a flanqué une musique sirupeuse dans les oreilles et j'ai dû patienter un siècle.

— M^me^ Lalonde est en réunion présentement. Il vaudrait mieux rappeler. À moins que ce ne soit urgent…

— Oui. Oui, c'est urgent.

J'ai dû subir de nouveau leur musique à la guimauve. La voix de Josée a finalement percé à l'autre bout du fil.

— Marie-Lune, que se passe-t-il ?

— Je veux les rencontrer. Le couple vert. Je veux dire le couple dans le dossier vert. Vous savez… la dame aux hippopotames. Je suis fatiguée, je n'en peux plus. Je n'arrive pas à me décider. Je veux les rencontrer. S'ils refusent, tant pis, je le garde, mon bébé.

— Bon. Je vais voir s'ils acceptent. Je te rappelle aujourd'hui si je peux. Courage, Marie-Lune… Je sais que c'est difficile.

Nous avons rendez-vous à l'hôpital, dans une petite salle où d'autres couples en quête d'un bébé ont rencontré de jeunes mères fatiguées. J'ai fait exprès d'arriver en retard. Je voulais surprendre leur mine lorsqu'ils m'apercevraient.

Léandre voulait venir, mais j'ai refusé. Je devais être seule pour décider. Tout dépendrait de leur allure, des ondes qu'ils projetteraient.

J'étais un peu la maîtresse. Et je leur faisais passer un test. Si le mari a un rire idiot, tant pis, c'est fini. Si elle a un trop gros nez, désolée, c'est terminé. Aujourd'hui, c'est comme ça. Il faut un « A+ » pour passer. Rien de moins. C'est moi qui fixe les règles.

J'avais fini par l'imaginer, elle, grande, grosse et blonde. L'air pas trop intelligent.

Un peu cervelle d'oiseau. Lui? Plutôt lourdaud.

La porte était ouverte. J'entendais un mélange de voix. Soudain, un rire s'est détaché. Il était franc, cristallin. Un peu nerveux mais pur et vraiment joyeux.

Je savais que c'était elle. Le pire, c'est qu'elle ressemble à sa voix. Je n'ai pas vu l'autre tout de suite. Ni Josée. La dame aux hippopotames prenait toute la place. Et pourtant, elle n'est ni grosse ni grande. Elle est jolie.

Elle n'a pas souri gentiment en me voyant. Non. Ses yeux verts se sont agrandis. Elle avait peur, elle aussi. J'étais son bourreau ou sa fée. Je pouvais tout: lui donner ce qu'elle désirait le plus au monde ou décider de le garder pour moi.

J'étais hypnotisée par ses yeux. Elle a les mêmes grands yeux que ma mère. Des yeux clairs. Des yeux verts. Des yeux comme un miroir, qui disent toujours le fond de l'âme.

Elle aussi lisait dans mes yeux. Les miens sont bleus. L'iris est cerclé d'un bleu plus foncé, presque mauve. Comme ceux de Léandre. Ma mère lisait souvent dans mes yeux.

— Tu peux toujours mentir, ça ne sert à rien. Tes yeux disent la vérité. Tu ne pourras jamais rien me cacher.

Et je la croyais. Je sentais que c'était vrai.

Josée a voulu briser le silence.

— Marie-Lune, je te présente Claire et François. François, Claire, voici notre Marie-Lune. Je vais chercher du café pour tout le monde ?

— Non. Je voudrais un grand verre de lait.

Il y avait du défi dans ma voix. Je voulais leur lancer à la figure que j'étais une bonne mère qui prenait bien soin de son enfant.

François s'est levé. Je l'avais à peine remarqué. Il n'est pas très grand mais plutôt costaud.

— Je vous laisse, les filles. Je pense que vous avez des choses à vous dire.

C'était malin ! Je l'aurais payé pour rester. Je n'avais pas envie d'être seule avec elle. Et puis, j'ai pensé que non. Ça irait. J'étais deux. C'est elle qui était seule. J'avais le choix, le droit.

Alors, je l'ai vue telle qu'elle était. Une jeune femme aux grands yeux verts qui porte un deuil. Comme moi. Elle n'était jamais vraiment seule. Une absence avait pris racine en elle. Je me suis souvenue des mots de sa lettre.

*C'est horrible de perdre un bébé. On l'aime déjà, mais on n'a pas de souvenirs à chérir. On se sent tellement vide...*

La pitié allait m'envahir lorsque, brutalement, les mots se sont imposés à moi mais avec un tout autre sens. J'aimais déjà le petit paquet de vie dans mon ventre. En le donnant, quels souvenirs aurais-je à chérir ? Allais-je être condamnée à porter en moi deux fosses immenses ?

J'avais le vertige. Peur de basculer. De tomber dans le vide. De disparaître dans ma solitude. À force de vide et d'absence, on n'existe plus. Le désert rend fou, parce qu'on ne peut s'accrocher à rien. Sans mon moustique que restait-il ? J'ai senti un lourd rideau tomber. J'en avais assez. Mes yeux ont couru vers la sortie, mais en route, ils ont croisé ses yeux à elle.

Elle me regardait toujours. Nous n'avions pas encore dit un mot. Mais ses yeux avaient changé. Elle n'avait plus peur. Son regard m'enveloppait. Elle lisait dans le mien.

Claire s'est approchée lentement et elle m'a entourée de ses bras. Je pleurais maintenant et elle aussi je crois. Mais elle ne portait pas attention à ses larmes. Elle chantonnait: ssshhh... ssshhh... ssshhh... en caressant ma joue mouillée de ses longs doigts minces.

La dame aux hippopotames a des bras de mère. Chauds et doux comme des ailes d'oiseaux.

— Pauvre Marie-Lune... Ça doit être terrible de prendre une décision. Prends ton temps, ma belle. François et moi, on ne veut pas te brusquer. Et quoi que tu décides, je suis sûre que ce sera bien.

Elle pleurait franchement lorsqu'elle a ajouté:

— Si ce bébé te ressemble, il sera magnifique.

J'ai ravalé quelques larmes et j'ai souri.

— Vous devriez voir le père. Il est beau comme un dieu.

J'ai ri. Et elle aussi.

Lorsque François et Josée sont revenus avec un grand verre de lait et trois cafés, nous bavardions comme deux amies. Elle m'avait décrit l'érablière; je lui avais raconté le lac. Pas un mot sur l'adoption.

Il fallait y venir. Josée m'a demandé si j'avais des questions à poser aux « parents potentiels ». J'en avais. Des tas. Mais je ne savais plus par où commencer. Je me suis souvenue de la liste que j'avais glissée dans la poche de mon jean.

En me tortillant un peu, j'ai réussi à extirper la grande feuille pliée et l'interrogatoire a débuté.

Ça n'a rien donné. Claire et François sont ce qu'ils sont. Ils répondent donc correctement à toutes les questions.

— Et s'il naît infirme ? Sans bras ? S'il souffre d'un horrible syndrome ?

Claire a répondu sans hésiter.

— Ce bébé, nous l'avons déjà accepté tel qu'il est. Pour moi, la question ne se pose pas. Si j'avais accouché moi-même d'un enfant handicapé, je l'aurais aimé. C'est pareil.

J'allais démissionner quand je me suis souvenue des questions de l'autre côté. Elles étaient plus embêtantes à poser.

— Si j'en faisais une condition, accepteriez-vous que je revoie mon bébé ?

François a répondu.

— Non. Nous y avons déjà réfléchi. Ce serait beaucoup plus facile de dire oui… Mais, Marie-Lune, vous savez que rien ne nous obligerait à tenir notre promesse. Après la naissance du bébé, vous avez quelques mois pour changer d'idée, mais une fois l'ordonnance de placement signée, nous ne serions pas tenus de vous laisser voir cet enfant.

C'était vrai. Josée m'avait expliqué tout cela. Après la naissance du bébé, la mère biologique doit signer un consentement à l'adoption. Elle a trente jours pour changer d'idée. Une simple signature et l'enfant lui revient. Le Directeur de la protection de la jeunesse rend l'ordonnance de placement environ trois mois après la naissance. La plupart du temps, le bébé vit déjà chez ses parents adoptifs. L'ordonnance de placement clôt le dossier. La mère biologique perd alors tous ses droits sur l'enfant.

— J'aimerais ajouter quelque chose. Je pense que tu seras d'accord, François...

La voix de Claire tremblait un peu. Elle mordillait ses lèvres en parlant.

— Nous ne pouvons rien promettre. Ce serait malhonnête. Qui sait quelle serait notre réaction dans dix ans si tu voulais revoir cet enfant? Comme l'a dit François, ce serait facile de dire oui aujourd'hui et de changer d'idée après...

Dans le fond, ils auraient le gros bout du bâton. Mais Claire n'avait pas fini.

— Si tu en faisais une condition, la réponse serait donc non. Je ne veux pas te faire une promesse que je ne pourrais peut-être pas tenir. Il faudrait aussi savoir d'avance comment cet enfant réagirait à ta requête.

La voix de Claire s'est enrouée.

— Marie-Lune... Tout cela me semblait simple et clair avant de te rencontrer. Mais aujourd'hui, je veux te laisser une promesse. Si tu nous confies ce bébé et que par la suite tu t'inquiètes à son sujet, j'accepterai toujours de t'écrire ou de te rencontrer. Et si tu es malheureuse, pour quelque raison que ce soit, je veux pouvoir t'aider.

François s'est approché d'elle, il a pris sa main. Des larmes tremblaient dans les yeux de Claire.

— C'est bien peu, mais ce serait ma façon de te dire merci. Je ne pense pas à l'adoption... Je pense à toi. À ce que tu es. À ce que cet enfant héritera de toi... Quoi que tu décides, ce bébé aura eu une mère extraordinaire pendant neuf mois. Je ne l'oublierais pas.

# Chapitre 11

## Si tu voyais les sapins

Encore dix semaines ! Soixante-dix jours ! L'éléphante se porte bien, mais elle aimerait décrocher sa bedaine de temps en temps. La ranger dans un tiroir pendant quelques heures pour courir comme un petit chien fou. Quel printemps plate !

Flavi a téléphoné vendredi dernier. La pauvre a attrapé une grippe carabinée. Sous les palmiers ! Elle devait nous revenir en fin de semaine, mais les plans sont modifiés. Il faut attendre que sa fièvre soit tombée. Ses vieilles copines la chouchoutent, mais je sais bien qu'elle a hâte de rentrer.

Léandre est aux oiseaux. *La Presse* l'invite à collaborer à ses pages sportives. Le mois dernier, Léandre avait fait la une du *Clairon* avec un article sur Stéphane Lacelle, un jeune de Saint-Jovite, baveux et pas beau mais plutôt habile avec un bâton de hockey. C'est un des meilleurs marqueurs de la ligue junior majeure, et Léandre a prédit que ce petit cul qui a triplé son secondaire I serait le prochain Wayne Gretsky.

En lisant l'article, j'avais eu un peu honte de mon père. Non mais quand même ! Il faut ouvrir les yeux. Même vieux, Gretsky est sexy, alors qu'à dix-sept ans, Stéphane Lacelle ne réussirait même pas à enjôler une planche à repasser. Mais si j'ai bien compris, le directeur des pages sportives de *La Presse* se moque de la faille esthétique dans la comparaison Lacelle-Gretsky. Il trouve que Léandre écrit bien et qu'il a du flair.

On propose à mon père d'interviewer une vedette du hockey chaque semaine. Il conserverait son emploi au *Clairon* mais passerait ses samedis à Montréal. Je pourrais l'accompagner et en profiter pour magasiner.

Avec ou sans bébé ?

Je suis bien contente que Léandre soit heureux. Il ne l'a pas volé. Et l'idée des balades à Montréal me ravit. Mais je crains un peu la suite. Si Léandre a tant de talent, ils voudront peut-être l'engager pour de bon. On déménagerait à Montréal ?

Il y a quelques mois, l'idée m'aurait rendue complètement maboule. De joie ! Mais je ne sais plus… Jean a dit : « Mon pays, c'est le lac. » Et je ne l'ai pas trouvé ridicule. Jean a dit : « Mon pays, c'est le lac. » Et j'ai eu l'impression de prendre racine.

Au cours des derniers mois, il y a eu des jours où j'ai eu l'impression de tomber au fond d'un puits et de ne plus jamais pouvoir en sortir. Il fait froid, il fait noir, c'est morbide et humide au fond d'un puits. On sent vraiment qu'on ne peut pas descendre plus bas.

Souvent, pendant ces longues journées, je me suis arrêtée pour regarder le lac. C'est beau. C'est mieux que la mer, parce qu'on ne s'y perd pas. C'est un nid pour grands oiseaux blessés, une île pour naufragés. Un royaume bien gardé. Il y a les montagnes au fond, les falaises à gauche, la butte du mont Éléphant à droite et là, tout près, les sapins, ces hautes sentinelles toujours au garde-à-vous.

Et il y a Jeanne. La pauvre ! Elle mourrait en ville. Elle passe ses journées à courir dans la forêt, pissant partout et reniflant tout ce qui bouge. À la fonte des neiges, l'idiote jappait après les feuilles volant au vent. Elle est énorme et elle mange autant qu'un poulain.

Sylvie n'a toujours pas largué Nicolas. À croire qu'elle le fait exprès. C'est plate une amie à bedaine, hein ? Ça ne danse plus, ça ne court plus et ça rit moins souvent qu'avant. Mes week-ends sont longs. Je parle beaucoup à mon moustique, mais à part les coups de pied, il n'a pas trouvé le moyen de me répondre.

Je m'ennuie de ma forêt amoureuse. J'aurais tant besoin de m'y perdre. Antoine ! Es-tu malheureux, toi aussi ? Danses-tu, le soir, avec une autre amie ? Je t'aimerai toujours, Antoine. Mais toi, m'en voudras-tu toujours ?

Deux épaves, Antoine. C'est ce que nous sommes. Terriblement seuls, grugés par les vagues. Comprends-tu, maintenant, pourquoi on ne pouvait pas être trois ? Ce serait mauvais pour le moustique. Les épaves, c'est trop fragile. Il lui faut des parents falaises, solides comme le mur de roc de l'autre côté du lac.

J'ai marché jusqu'à la bibliothèque. Trois kilomètres. Une bonne trotte! C'est bon pour ma ligne et ça engourdit mes pensées. La bibliothèque municipale du lac Supérieur est grande comme une boîte de sardines, mais M^lle^ Grandpré, notre bibliothécaire bénévole, connaît des tas de bons romans.

En rentrant, j'ai vu Jean, assis à une table, un gros livre entre les mains. Il a rougi en me voyant. J'aurais voulu fuir, mais c'était trop tard. Ç'aurait été pire.

J'avais enfilé un vieux chandail de Fernande. Normalement, il aurait été très ample, mais mon moustique le gonflait tellement que les fleurs étirées de l'imprimé ne ressemblaient plus à rien. J'étais un peu gênée de venir promener ce gros ventre entre les étagères tassées.

J'ai marmonné un faible salut puis j'ai foncé vers le rayon droit devant. J'ai grignoté trois ou quatre résumés de romans, mais ma cervelle n'enregistrait rien. J'ai pris le premier livre qui m'est tombé sous la main.

C'était un piège. M^lle^ Grandpré n'était pas là. Qui la remplaçait? Jean?

Je devais sembler bien nigaude, immobile, hébétée, avec mon roman en main.

Jean s'est approché. J'avais peur. Sa présence m'émouvait comme en ce matin frileux où il m'avait cueillie dans la neige, la tête en sang et le cœur en compote. Combien de fois, depuis, le hasard m'avait-il projetée dans ses bras ? Je reconnaissais son odeur maintenant. Et elle m'enivrait.

— M^lle^ Grandpré devait sortir. Elle sera de retour dans une heure. J'ai accepté de la remplacer. Si tu veux, je peux estampiller ton livre…

— Oui… oui… Merci.

Pour alléger un peu l'atmosphère, il m'a demandé des nouvelles du chiot. J'ai ri.

— Jeanne est énorme. Ce n'est vraiment plus un chiot.

Son visage s'est figé et j'ai compris que j'avais commis une gaffe. Jeanne…

Il n'a rien dit. Et moi non plus. Mais ses yeux plus sombres que la nuit brillaient d'une étrange lueur. J'espérais que les miens ne disaient rien.

De retour à la maison, je me suis enfermée avec *Shabanu*, le roman que je n'ai pas choisi. Quelle étrange histoire ! Shabanu est une fille du désert, une enfant de nomades qui rêve de ne jamais se marier. Elle préfère la liberté, le vent brûlant des dunes et la chaleur tranquille d'un troupeau de chameaux.

Je me suis assoupie en rêvant de liberté. À mon réveil, j'ai cherché le carnet fleuri. Et j'ai écrit.

*le 10 juin*

*Cher moustique,*

*Dans ma tête, tout est clair. Comme le nom de ta mère. Mais dans mon cœur, c'est le fouillis. Un immense désordre, un terrible fatras.*

*J'ai décidé mais je ne veux pas leur dire. J'ai besoin de laisser la porte entrouverte jusqu'à la fin. Au cas où je n'arriverais plus à vivre avec cette décision.*

*Il faut que tu saches que je t'aime. C'est très important. C'est pour ça que je vais te confier à elle.*

*Si je te gardais, tu serais un baume. Un pansement sur ma blessure après l'accouchement. Tu me ferais du bien. J'en suis sûre. Et je te soignerais très bien. Ça aussi c'est sûr.*

*Mais après, je ne sais pas… Je me vois mal t'apprenant à parler et à lire. J'ai de la difficulté à te voir grandir. J'aurais tant de choses à faire avant.*

*J'ai des tas de rêves. Je ne suis plus sûre de vouloir devenir journaliste. La vérité, c'est que j'aimerais écrire. J'aimerais pouvoir peindre le désert avec des mots comme l'auteure de Shabanu.*

*Dans un peu plus d'un an, tu feras tes premiers pas dans une érablière. Claire sera très fière de toi. Ce sera l'automne. Les érables sont toujours magnifiques l'automne. Je penserai à toi. Et je souffrirai de n'avoir pas pu te montrer mon lac.*

*Si tu voyais les geais bleus l'hiver. Ils viennent manger à notre porte. Et l'été, au lac, on peut nager jusqu'à l'île et rêver qu'on est naufragé.*

*J'aurais tant aimé te montrer nos grands sapins. En les regardant, on finit par comprendre des choses. Ils nous apprennent à tenir bon dans la tourmente.*

*Les grands sapins restent toujours droits. Ils sont têtus comme toi. Ils ont peut-être peur, mais ils ne s'effondrent pas. Leurs branches cherchent le ciel. Ils sont forts et braves et beaux. Ils dansent sous la tempête. Et lorsque les vents cessent, leurs branches sont pleines d'oiseaux.*

*Je ne pourrai jamais moi-même t'enseigner cela. Et ça me fait pleurer quand j'y pense. Mais je t'ai donné la vie. C'est mon cadeau.*

*Ne m'oublie pas…*

*Je t'aime,*
*Marie-Lune*

# Chapitre 12

## Artillerie lourde pour grand combat

Ouf ! C'est presque trop beau pour être vrai. L'école finit aujourd'hui. Une semaine plus tard que prévu parce que nos chers profs se sont payé quinze jours de grève en septembre. C'est quand même étrange ! Ils décident de s'épivarder sans nous consulter et on est condamnés comme de vulgaires complices. Sentence d'une semaine, les fesses collées sur un banc d'école.

J'ai raconté tout ça à mon moustique en attendant l'autobus. Si les autres m'entendaient, ils jureraient que je suis folle.

À l'école, il y avait de l'euphorie dans l'air. La semaine supplémentaire avait été dure à avaler. Il faisait chaud, c'était l'été, et tout le monde avait hâte de fêter. Ce matin, les célébrations ont commencé dès le premier cours et se sont terminées au dernier. On n'a rien appris, mais on s'est raconté des blagues, on a mangé des chips, on s'est moqués des profs et on a chanté. Rien ne pouvait nous arrêter.

Quand la cloche a sonné en fin d'après-midi, mille deux cents élèves ont crié en chœur. Les murs ont vibré. Il y avait de la folie dans l'air.

Pendant que je ramassais les derniers bouts de crayon au fond de ma case, Claude Dubé m'a plaqué un gros baiser sonore sur la joue.

— Bonne chance, l'éléphante !

J'ai ri de bon cœur. Depuis ma fameuse annonce au cours de M^lle^ Painchaud, Claude avait été correct. Éléphante ? Bof ! C'était de bonne guerre. Et le « bonne chance » était sincère.

Éléphante ou pas, je me sentais légère en descendant l'escalier central pour la dernière fois. À mi-chemin, j'ai accéléré un peu le pas sans remarquer le stylo-bille au beau milieu de la marche.

Derrière moi, des élèves ont crié lorsque j'ai perdu pied. J'ai déboulé l'escalier pendant que mes cahiers s'éparpillaient de tous bords tous côtés. La secrétaire du directeur avait tout vu et elle hurlait comme une imbécile.

Je me suis relevée en repoussant les nombreux bras qui volaient à mon secours. J'ai souri bravement et tout le monde a applaudi. J'avais eu peur, mais il n'y avait rien de cassé. La secrétaire voulait quand même appeler l'ambulance. Claude Dubé a pris l'affaire en main.

— Allez soigner vos nerfs, Mam'selle. Marie-Lune est bien. C'est vous qui avez l'air malade.

J'ai ri malgré moi. En riant, j'ai senti un pincement au ventre. La douleur était assez intense, mais elle s'est estompée par la suite.

Dans l'autobus, elle est revenue. J'avais tellement mal que j'ai arrêté de parler en plein milieu d'une phrase. Sylvie n'a rien remarqué, ce qui prouve bien qu'elle ne m'écoutait pas. Pauvre Sylvie ! Elle est en grand chagrin d'amour depuis six jours. Elle s'est brouillée avec son beau Nicolas. Pour une niaiserie. En attendant les réconciliations, elle broie du noir.

Sylvie est descendue avec moi devant l'affichette du 281, chemin du Tour du lac. Monique et Léandre sont allés à Montréal ensemble. La première pour faire des emplettes, le deuxième pour signer son contrat avec *La Presse*. Les deux orphelines ont décidé de passer la nuit sous le même toit.

J'essayais d'être gaie, ce qui n'était pas évident avec le croque-mort à mes côtés. La douleur persistait, plus intense par moments. Je repensais à cette sacrée chute. Mon bébé serait-il blessé ?

Au début, il flottait dans sa petite mer, mais en grandissant, il est plus à l'étroit et moins protégé par le coussin d'eau.

J'aurais voulu que Léandre soit là. Et Fernande. Elle aurait pu m'expliquer, me rassurer, m'aider à décider ce que je devais faire.

J'ai farfouillé dans le garde-manger pour trouver des spaghettis. Je me disais que si j'avais encore mal, une fois les spaghettis cuits, il faudrait bouger. L'eau s'est mise à bouillonner dans la casserole. J'ai ajouté le sel et j'ai flanqué une brassée de nouilles. La douleur était devenue lancinante.

— As-tu très faim ?

— Quoi ?

— Ouvre tes oreilles, Sylvie Brisebois. Je te demande si tu as faim… Très faim…

— Couci-couça…

— Tant mieux !

J'ai éteint l'élément de la cuisinière devant une Sylvie étonnée.

— Il va falloir que tu m'aides. Je pense que je devrais aller à l'urgence.

Sylvie a fait mine de paniquer.

— Écoute, c'est peut-être rien, mais j'ai peur. Ce n'est pas le temps de s'affoler. J'ai mal depuis que j'ai dégringolé l'escalier. À mon avis, ce n'est pas normal. Il faudrait que tu marches jusque chez toi pour ramener l'auto de Monique. Pendant ce temps-là, je vais m'étendre et m'occuper de mon moustique.

— Ton quoi ?

— Laisse faire… Grouille, Sylvie, on n'a pas le temps de niaiser.

J'ai crié. La douleur me faisait peur maintenant. C'était profond, cuisant.

Sylvie a blêmi en me regardant.

— As-tu le numéro des Lachapelle ? Je pense qu'il faut aller directement à l'hôpital, Marie-Lune. Tout de suite.

Sa voix était assurée. Elle prenait les choses en main.

Mme Lachapelle est arrivée presque immédiatement. Avec Jean. Louis était parti à Saint-Jovite avec la voiture familiale. Il nous restait la camionnette. En route, la douleur n'a pas crû. Mais elle restait là, bien installée, collée à mon moustique.

La salle d'urgence devait être pleine à craquer. Pas l'ombre d'une civière vide à l'entrée. Jean n'a pas hésité. Il m'a soulevée et il m'a portée jusqu'au poste d'admission. L'infirmière complétait le dossier d'un patient, assis devant elle.

La voix de Jean trahissait la panique.

— Vite ! Il faut un médecin. Elle va perdre son bébé !

Le morne babillage des patients en attente s'est tu. L'infirmière s'est levée, et moins d'une minute plus tard j'étais allongée dans la salle de radiologie. Jean et sa mère m'attendaient juste à côté. Sylvie était partie en quête d'une cabine téléphonique avec le faible espoir de pouvoir rejoindre Léandre et Monique.

Le Dr Larivière est arrivé presque tout de suite. Il m'a tapoté la joue pendant qu'on répétait l'opération jell-o sur mon ventre. Une infirmière a allumé l'écran et j'ai frémi.

C'était mon moustique ! Vivant, grouillant, en noir et blanc. Il suçait son pouce en fortillant comme si quelque chose l'incommodait.

— La tête est en bas. Tant mieux.

Tant mieux pourquoi ? Le Dr Larivière a désigné quelque chose sur l'écran. Il y a eu un silence entre les infirmières et lui. Ils échangeaient des regards.

— Que dirais-tu d'une belle chambre dans notre célèbre hôtel ?

J'ai essayé de sourire. La douleur ne m'avait pas quittée.

— Qu'est-ce qui se passe ?

— Ta chute a provoqué un léger décollement placentaire. Ça pourrait déclencher le début du travail. Il faut te garder sous surveillance.

— C'est impossible… Il reste deux mois… Il est beaucoup trop petit pour sortir tout de suite. Il va mourir !

— Écoute, Marie-Lune. Ce que je vais te dire est très important. Si ton bébé veut absolument sortir, il peut vivre. On fait des miracles aujourd'hui. Tout est possible à ce stade-ci. Et ça dépend en partie de toi. Tu dois absolument rester calme. Une infirmière va aider ton amie à mettre la main sur Léandre. En attendant, je pourrais t'envoyer Marielle Ledoux. Elle vient de terminer son quart de travail, mais elle a déjà offert de rester avec toi.

J'ai respiré lentement et profondément. J'ai dit oui.

Louise et Jean m'ont suivie jusqu'à ma chambre. C'était bon de voir leurs visages. J'ai essayé d'être brave.

— Merci, M^me^ Lachapelle. Vous devriez partir maintenant. Il n'y a plus rien à faire. Je vais jouer à la momie étendue sur un lit. Ça pourrait durer longtemps si j'ai bien compris...

— Ah! Tu sais, ma grande, se tourner les pouces chez nous ou ici... On va te laisser t'installer et te reposer, mais on reste dans l'hôpital. On reviendra faire un tour tout à l'heure.

Elle m'a regardée d'un air un peu espiègle avant d'ajouter:

— De toute façon, si je voulais retourner au lac, je devrais rentrer à pied. Mon chauffeur ne veut pas bouger d'ici.

J'ai regardé Jean. Il était debout, bien droit, dans l'embrasure de la porte. Ses yeux noirs m'enveloppaient tendrement. J'ai laissé sa chaleur m'envahir. Jean a des yeux de terre dans lesquels on s'enracine. J'ai fermé les paupières.

Une explosion m'a réveillée. Marielle était à mes côtés. J'ai agrippé sa main et je l'ai tordue. La dynamite était dans mon ventre. J'en avais le souffle coupé. J'étais paralysée de douleur. C'était horrible et j'avais très peur. Puis, d'un coup, le mal a disparu.

— C'est une contraction, Marie-Lune.

Elle semblait navrée. J'avais envie de pleurer.

J'aurais voulu que Sylvie téléphone à Fernande. Que ma mère saute dans la voiture, qu'elle coure dans le corridor, qu'elle défonce ma porte. J'aurais voulu que ma mère vienne me sauver. Qu'elle arrange tout. Comme avant. Il y a très, très longtemps.

C'est le D^r^ Larivière qui a poussé la porte.

— Nous allons te donner un sérum pour arrêter le travail. Ce serait bien si le petit pouvait attendre un peu avant de se montrer le bout du nez, hein ?

Pendant que Marielle me plantait l'aiguille dans une veine, elle est revenue. La douleur. Cette chose atroce qui me prenait en otage pendant d'interminables secondes. Quand la contraction s'est dissipée, j'ai vu des taches de sang affleurer sous la peau de ma main. Je m'étais mordue.

Il y a eu six contractions. De plus en plus atroces et de plus en plus rapprochées. Marielle a retiré l'aiguille de ma veine. C'était inutile: j'allais accoucher. J'ai pleuré.

Ils m'ont transférée sur une civière et roulée jusqu'à la salle d'accouchement. Sylvie s'est frayé un chemin entre les chariots d'équipement autour de moi. L'artillerie était lourde. Le combat s'annonçait difficile.

La septième contraction est venue. J'ai hurlé cette fois. C'était insoutenable. J'aurais voulu dire à mon amie qu'il fallait appeler au secours. J'allais mourir. J'en étais sûre. Comment leur expliquer? Ils ne pensaient plus qu'au bébé. Et moi dans tout ça? Je vais mourir. Comprenez-vous ça? J'ai quinze ans et je vais mourir. Faites quelque chose, je vous en supplie.

La douleur est repartie. Sylvie m'a expliqué qu'un employé de *La Presse* avait rejoint mon père et Monique dans un restaurant tout près du journal. Léandre était en route.

# Chapitre 13

## Les grands sapins ne meurent pas

Entre deux contractions, une infirmière a réussi à me fourrer des électrodes entre les jambes pour les coller tout au fond de moi sur la tête du bébé. Les fils sont reliés à un écran, sur lequel l'équipe médicale peut lire le rythme des battements cardiaques. Je me demande bien pourquoi, puisqu'ils m'ont aussi branché un haut-parleur sur la bedaine. Le cœur du moustique bat tellement fort qu'on doit l'entendre dans tout l'hôpital.

Une large ceinture m'enserre la taille. Un moniteur y est fixé. L'appareil permet de chiffrer l'intensité des contractions. C'est ridicule ! Ils n'ont qu'à me le demander bon sang ! Je la sens, la douleur. Je n'ai pas besoin d'arithmétique pour savoir que c'est l'enfer.

Il n'y a plus de répit. Chaque fois qu'une contraction disparaît, l'angoisse m'étreint. C'est de la torture. Je sais qu'une autre menace de s'abattre sur moi et je serais prête à tout pour la repousser. Coupez-moi un bras, une jambe. Prenez le moustique, tiens. N'importe quoi. Mais sortez-moi de là.

Marielle éponge mon front. Une goutte salée avait roulé dans mon œil. Je transpire comme un bûcheron.

J'entends des voix connues dans le corridor. Louise, Jean… Léandre !

Mon père a les yeux bouffis. Il a pleuré. Quand ? Pourquoi ? Mais qu'est-ce qui m'arrive, bon Dieu ?

L'étau se resserre. Elle revient. Non ! Je vous en supplie. Laissez-moi. Laissez-moi tranquille.

— Au secours ! Au secours ! MAMAN ! MAMAN !

Elle est là. La douleur m'envahit. Je n'en peux plus. Je m'accroche à la veste de Léandre. Il doit faire quelque chose. C'est trop inhumain.

— PAPA !

Son visage est dévasté. Tant pis ! Ça prouve au moins qu'il a compris. Il va leur dire. Ils vont me libérer du moustique. J'aurai fait ce que j'ai pu.

La douleur s'évade enfin et un voile m'enveloppe.

Léandre est sorti. Deux infirmières l'ont poussé vers la porte. Il était livide.

J'imagine le lac sous la brume. Si seulement je pouvais m'y perdre. Fuir avant que les contractions reviennent.

C'est l'automne sur le lac. Le brouillard masque tout. Les falaises et les montagnes ont disparu. Plus rien n'existe que cette vapeur laiteuse.

Non… Le brouillard n'a pas tout avalé. Ils sont là, eux. Mes gardiens. Ils pointent fièrement vers le ciel. Les grands sapins ne meurent pas. Ils restent hauts et droits. Ils dansent, eux, dans la tourmente.

La revoilà, l'affreuse bête sauvage.

Il faut tenir bon. Les grands sapins ne meurent pas. Ils valsent, ils ploient, mais ils ne se brisent pas. Ils sont hauts et puissants, forts et résistants.

Ouf ! Elle est repartie.

Léandre est revenu. Je réussis à sourire bravement.

— Ta mère serait fière de toi, ma princesse. Je voudrais tant pouvoir t'aider. Pauvre Marie-Lune.

— Papa… est-ce que Jean est toujours là ?

— Oui.

— J'aimerais ça qu'il vienne. Juste un peu…

Une autre me guette. Je l'attends. Au secours ! Je ne suis pas un grand sapin. Juste un petit bouquet de branches tordues. Sèches. Prêtes à flamber. À s'envoler en poussière.

Jean a pris ma main. Il l'embrasse du bout des lèvres, très très délicatement, là où sont imprimées les traces de mes dents.

C'est un cadeau que je m'offre. Il ne restera pas longtemps… C'est Antoine qui devrait être là. Mais il a disparu. À cause de moi.

Je ne sais plus ce que pense mon cœur. Mais la présence de Jean m'inonde de bonheur. Tout de suite. Maintenant. Malgré la bête qui revient.

Elle est là, juste à côté, prête à bondir. Ça y est. Elle me déchire.

Je m'accroche à cette nuit infinie dans le regard de Jean. Et j'attends. L'horreur… Voilà… C'est fini. Je ferme les yeux. Je refuse de laisser l'angoisse m'envahir. Je reprends des forces.

Jean se penche sur moi. Du bout des doigts, il repousse les mèches collées à mon front, à mes joues. Il caresse lentement mon visage. Ses yeux s'approchent. Il m'embrasse. C'est bon comme une pluie dans le désert.

Mais la douleur revient. Jean pleure. Et moi aussi.

Le Dr Larivière écarte Jean doucement. La porte se referme. Il est parti. Je crie.

Le médecin plonge sa main gantée entre mes jambes. Il semble content.

— Tu viens de faire un grand bout de chemin, Marie-Lune. C'est beau. Tout va bien. Le col de ton utérus est dilaté à huit centimètres. Deux autres et on y est.

Tout se brouille dans ma tête. Il a bien dit: « Tout va bien » ? Mais il est complètement malade !

Et si c'était vrai ? Si tout pouvait encore bien aller ?

J'allais y croire lorsqu'un épais silence est venu étouffer le va-et-vient autour de moi.

Quelque chose ne va pas. J'entends la voix du Dr Larivière.

— Le cœur flanche. Il est trop fatigué…

Je me suis relevée dans mon lit, malgré les fils, les moniteurs.

— NON !

J'avais hurlé.

— Ton bébé est épuisé, Marie-Lune. Son cœur vient tout juste de ralentir. Tu n'y peux rien. Il faudrait que le travail avance plus vite. Il est bien petit, tu sais, pour faire tant d'efforts.

Il est à bout, lui aussi. Il vit l'enfer, lui aussi. Et il veut laisser tomber.

— NOOOOON ! ! !

Il faut que je le convainque. Que je lui explique. Les grands sapins ne meurent pas. Comprends-tu ça ?

La douleur m'a envahie. Et j'ai senti qu'il voulait pousser. Qu'il voulait sortir.

Je me suis assise dans mon lit. De mes mains, j'ai enveloppé mon ventre. Et je l'ai bercé pendant que la douleur revenait.

Et je lui ai parlé.

Des mots crachotés. Le souffle coupé. Mais je lui ai parlé. À voix haute, comme je l'avais fait si souvent au cours des derniers mois.

— Il faut tenir bon, moustique. Tu n'as pas le choix. Tu n'as plus le droit de laisser tomber. Il fallait y penser avant de t'installer. C'est trop tard, maintenant. On ne peut plus lâcher.

Bon Dieu que ça fait mal.

— Ils disent que tu es petit, mais je n'en crois pas un mot. Pour pousser comme ça, tu dois être gros.

Moustique est dans le lac. Il va se noyer. Et c'est moi le sauveteur. Quand on traîne un baigneur en détresse jusqu'au rivage, il faut lui parler. Tout le temps. Sans arrêt. Et l'encourager. Il ne faut surtout pas paniquer. Ce qui compte, c'est de rester à flot.

— Tiens bon, moustique ! On va y arriver. Elle s'en vient… La sens-tu approcher ? C'est une grosse vague. Il faut la prendre. Monter sur sa crête et se laisser porter. Allez ! Viens ! Accroche-toi. On y va ! OUI… Pousse. Pousse que je te dis. Encore… Encore…

Mes doigts picotaient. Je me sentais prête à défaillir.

Tenir bon ! C'était tout ce qui comptait.

— Écoute, moustique… Je t'aime. Je ne veux pas te perdre. Jamais. On a nagé trop longtemps ensemble. Il n'y a pas d'île autour, mais on approche. Regarde, la vois-tu, la plage ? Je t'aime, moustique. Entends-tu ça ? Je ne pourrai plus vivre si tu me lâches maintenant. Accroche-toi, je t'en supplie.

— On voit la tête.

La tête de qui? La tête de quoi? Non… Ce serait trop beau…

— Viens, viens, mon moustique. On y est. Presque… Je vais te montrer les grands sapins. Regarde! Ils sont là, droit devant. Les vois-tu? C'est beau les grands sapins. Ça ne flanche jamais. Les grands sapins ne meurent pas. Entends-tu ça? Les grands sapins ne meurent pas. ENTENDS-TU ÇA?

J'ai aspiré profondément en espérant que l'air se rende jusqu'à lui. Une nouvelle vague nous a portés. Plus haut. Plus loin.

— Ça y est… Le voilà…

Le temps était suspendu.

— C'est un gars… Il est vivant… Il est vivant, Marie-Lune!

Bien sûr qu'il est vivant! Il crie plus fort que les oiseaux sauvages.

# Série Marie-Lune

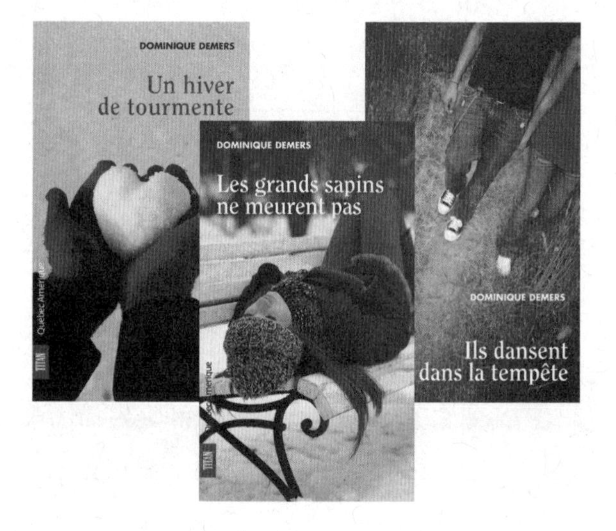


Elle s'appelle Marie-Lune, mais on dirait plutôt une Marie-Tempête. Elle habite au bord d'un lac, en pleine nature. Pour elle, c'est le bout du monde. Heureusement, il y a Antoine. Ses yeux verts qui brillent comme la forêt autour du lac les matins d'été font chavirer Marie-Lune. Un puissant amour les unit, mais le ciel est lourd de tempêtes…

## D'autres titres de Dominique Demers

Maïna, la fille du chef de la tribu des Presque Loups, amorce une longue quête, celle de son identité. Le périple de l'Amérindienne sera empreint d'émotions, de sensualité et de spiritualité. Un superbe voyage aux confins du Grand Nord, il y a 3 500 ans.

C'est dans un royaume de pics somptueux et de caps battus par une mer enragée, d'anses secrètes et de baies envahies par les goélands que l'histoire de Maybel et William prend racine. Au fil de dix rendez-vous hors du commun, ils se laisseront envoûter par les trésors du panorama maritime et se découvriront d'autres passions encore plus fulgurantes...